L'Ankou
ou
l'ouvrier de la mort

Du même auteur:
Chez le même éditeur

La clé mystérieuse, coll. Papillon, 1989.

DANIEL MATIVAT
en collaboration avec
GENEVIÈVE MATIVAT

L'Ankou
ou
l'ouvrier de la mort

roman

ÉDITIONS PIERRE TISSEYRE
5757, rue Cypihot — Saint-Laurent, Québec, H4S 1R3

La publication de cet ouvrage a été possible grâce aux subventions du Conseil des Arts du Canada et du ministère de la Culture du Québec.

Dépôt légal: 1er trimestre 1996
Bibliothèque nationale du Canada
Bibliothèque nationale du Québec

Données de catalogage avant publication (Canada)

Mativat, Daniel

L'Ankou ou l'ouvrier de la mort

(Collection Conquêtes; 52)

Pour les jeunes.

ISBN 2-89051-605-9

I. Mativat, Daniel, 1944- . II. Titre. II. Titre: Ouvrier de la mort. III. Collection.

PS8576.A82875A84 1996   jC843' .54 C95-941485-1
PS8576.A82875A84 1996
PZ23.M37An   1996

Maquette de la couverture:
Hélène Meunier

Illustration de la couverture:
Huguette Marquis

1 UN VOYAGE AU BOUT DU MONDE

Mon nom est Yannick Le Bozec.

Ce que j'écris est l'exacte vérité même si j'ai longtemps hésité à raconter cette histoire. J'avais peur qu'on me prenne pour un malade. Parce qu'au Québec, on ne croit pas à tout ça... On allait se moquer de moi...

La mort, qui y pense?

Ici les morts ont l'air d'être en bonne santé. Ils vous sourient, bien calés dans leur cercueil au milieu des fleurs, les joues roses et l'air de voyageurs satisfaits attendant le

7

grand départ. Non, ici la mort n'est pas une chose sérieuse. On n'y croit pas vraiment. Ou plutôt, on ne veut pas y croire...

Elle n'a pas de visage. Elle vient comme une voleuse. Elle se glisse la nuit dans les couloirs des hôpitaux et elle vous débranche alors de l'existence, un peu comme on éteint un poste de télévision, en appuyant sur un simple bouton.

Mais moi, la mort, la vraie, je l'ai vue. Je lui ai parlé. J'ai senti son haleine mêlant l'odeur douçâtre des fleurs fanées aux insoutenables effluves de la chair décomposée.

Depuis, nuit et jour, elle hante mes pensées.

À chaque respiration, à chaque battement de mon cœur, je sue d'effroi à l'idée qu'un jour elle posera sur ma poitrine sa main invisible arrêtant à jamais pour moi les aiguilles du temps.

C'est pour cela qu'en cette veille du jour de l'an, j'ai décidé de tout consigner par écrit. Demain... qui sait où je serai? Qui sait ce que je serai devenu?

○

Tout cela a commencé par un simple coup de téléphone, il y a un an et demi, une semaine à peu près avant les grandes vacances. Ma *mamm gozh*[1], en Bretagne ne se sentait pas très bien. Elle voulait revoir son unique petit-fils, qu'elle n'avait pas vu depuis que mes parents avaient émigré au Canada.

Bref, elle m'invitait à passer l'été chez elle, à Kervinou en pays bigouden[2], un village du bout du monde où, d'après mon père, la pluie tombe à longueur d'année et où les femmes portent encore d'étranges coiffes de dentelle hautes comme des cheminées.

Grand-mère avait déjà payé mon billet d'avion. Dans de telles conditions, comment aurais-je pu refuser?

Mais, il faut bien l'avouer, la perspective de ce voyage ne m'excitait guère. Dans quel pays sauvage voulait-on m'expédier? Par contre, c'était ça ou passer l'été, rue Saint-Denis, assis sur les marches de l'escalier de fer, ce qui n'était pas non plus très réjouissant.

Je me résignai donc et, le 3 juillet, je pris l'avion. Vol 710 d'Air Canada. Destination Paris.

Mes pires craintes n'allaient pas tarder à se justifier... et même au-delà de tout ce que j'avais pu imaginer.

D'abord le voyage fut un enfer.

Sept heures dans l'avion, quatre heures de T.G.V., pour aboutir dans un autobus pourri qui hoquetait au sommet des côtes et dévalait les pentes en tremblant de toute sa carcasse.

J'étais à demi endormi, assommé par la fatigue, lorsque le chauffeur du car (c'est comme ça qu'on dit là-bas) m'a secoué l'épaule. Son haleine empestait le vin.

— Hé p'tit gars. KERVINOU. T'es arrivé.

Visiblement, le bonhomme était pressé. C'est à peine s'il m'a laissé le temps de descendre, si bien qu'il a refermé sa porte-accordéon sur mon sac à dos. J'ai dû tirer violemment dessus pour qu'il ne parte pas avec.

L'endroit était sinistre. J'étais au milieu d'une lande déserte quadrillée par des murets pierreux et des haies d'ajoncs au travers desquelles sifflait un vent rageur. Tout près se dressait, pathétique, un grand Christ de pierre qui ne tenait plus à sa croix que par un bras.

Le ciel était bas. Il pleuvait, comme seul il peut pleuvoir en ce pays. Une pluie fine qui vous fouette le visage et vous colle désagréablement les jeans aux cuisses. Cinq minutes plus tard, j'étais trempé jusqu'aux os.

Je grelottais.

Assis sur une des marches du calvaire, j'attendais. Quelqu'un était sensé me prendre. Qu'est-ce qu'il foutait? Maudite marde.

J'ai attendu au moins trois quarts d'heure. Enfin, j'ai entendu un bruit de moteur. Pas trop tôt!

Faux espoir. Ce n'était qu'un camion à bestiaux qui est passé en trombe, faisant hurler son klaxon et m'éclaboussant des pieds à la tête.

Je commençais vraiment à me demander ce que je faisais là quand, tout à coup, un grincement régulier a attiré mon attention.

C'était une charrette. Elle avançait lentement au milieu de la lande, tirée par un cheval maigre à faire peur qui traînait ses sabots et courbait la tête presque au ras du sol.

L'homme qui conduisait l'attelage portait un immense chapeau noir à large bord et, comme il tenait la tête baissée, on ne voyait de lui que sa haute silhouette enveloppée dans un grand *kabig*[3] claquant au vent.

La charrette est passée devant moi puis s'est arrêtée et l'homme, sans même me regarder, a ordonné:

— Montez!

J'étais trop crevé pour demander des explications, j'ai donc jeté mon bagage par-dessus les ridelles et je suis monté à côté de l'étrange personnage qui semblait tout droit sorti d'un vieux film d'horreur.

L'homme a secoué les guides. La charrette s'est ébranlée, craquant de toutes ses planches et couinant abominablement à chaque tour de roue.

L'homme n'était vraiment pas très loquace. À chacune de mes questions, il opposait la plupart du temps un silence hostile. Parfois, il branlait légèrement la tête ou, en guise de réponse, émettait des espèces de grognements ponctués de mots inconnus qui sonnaient comme des *ya* et des *nann*[4]. Par moments, il parlait aussi à son cheval qui secouait sa crinière et donnait un coup de rein pour forcer l'allure.

À court de sujets de conversation, j'ai fini par me taire, me contentant d'admirer le paysage et d'observer à la dérobée mon mystérieux conducteur.

Même si le visage de celui-ci restait caché dans l'ombre de son vaste couvre-chef, on devinait qu'il devait être très vieux. Ses mains surtout étaient fascinantes. Des mains osseuses, longues et décharnées, sillonnées de grosses veines bleues.

Quelle fut la durée du voyage? Je n'en sais rien. Je ne me souviens que d'un véritable labyrinthe de chemins creux où les pommiers plantés sur les talus faisaient comme des tunnels de verdure. Je me sentais aspiré par cet univers inconnu, avec l'impression que je m'embarquais dans une aventure sans retour... Nous avons longé des fermes abandonnées avec leurs murs écroulés et leurs toits de chaume crevés où foisonnaient herbes folles et touffes de fleurs rouges[5]. Parfois, des chiens croisant notre route se mettaient à nous suivre en aboyant furieusement. Mais, dès qu'ils approchaient, ils prenaient un air terrorisé et déguerpissaient, la queue entre les pattes, en poussant des cris plaintifs.

À la fin du jour, nous sommes enfin arrivés.

Au bruit sourd des vagues et aux cris désespérés des mouettes qui tournoyaient dans le ciel, je me suis dit que nous devions être tout près de l'océan.

La charrette s'est engagée dans une rue bordée de maisons basses aux murs épais et aux ouvertures minuscules fermées par des volets bleus. Certaines avaient curieusement leur pignon, ainsi que leur faîte d'ardoise, sculptés en forme d'animaux fantastiques. Au bout du village, nous sommes passés devant une chapelle dont le clocher était décapité à mi-hauteur[6].

La maison de grand-mère Yvonne était presque au bord de la mer, nichée derrière une dune entre deux rochers. La charrette s'est immobilisée. Mon guide attendait sans broncher. J'ai compris que nous étions arrivés. J'ai remercié l'homme.

Il a hoché imperceptiblement la tête mais, avant que j'aie pu ajouter un mot, il avait déjà disparu dans la nuit, le grincement de sa charrette, au loin, trahissant seul sa présence.

Étrange personnage...

Je me demandais vraiment ce que j'étais venu faire dans un trou pareil. C'est alors que j'ai entendu une voix derrière moi qui s'exclamait:

— *Ma Doué! Ma Doué*[7]! c'est mon petit Canadien! Regardez, Viviane, comme il a grandi! Allez, couché Korrigan! Couché!

C'était grand-mère accompagnée de son chien, une grosse boule de poils hirsutes.

Elle m'a embrassé en me serrant à m'étouffer. Un bec, deux becs, trois becs, quatre becs. Je ne savais plus où j'en étais...

— Comment, s'est-elle mise à rire, on ne se bécote pas comme ça au Canada? Un baiser pour Dieu le père, un pour le Fils et les deux autres pour le Saint-Esprit, ainsi soit-il! Et vous, Viviane, qu'attendez-vous pour saluer votre cousin[8]? Du calme Korrigan! Bas les pattes! Bonne Sainte-Anne, ce chien a le diable dans le corps!

Une grande fille rousse aux yeux bleus s'est avancée et m'a tendu la main.

— Salut Yannick.

— Voyons, ne faites pas la sotte, embrassez-le donc! a commandé grand-mère.

Viviane s'est penchée vers moi et ses lèvres ont effleuré à peine ma joue. Moi, maladroit, je lui ai rendu son baiser au hasard et ma bouche a plongé dans ses cheveux pour se coller dans son cou.

Elle a poussé un petit cri effarouché en se détournant vivement.

Elle sentait bon.

— Allons, entrons! a dit grand-mère qui s'efforçait de retenir son chien par le collier. J'espère que ça ne vous gêne pas trop que Viviane soit ici. Elle est en vacances. Elle vient ici tous les ans. La maison n'est pas grande, mais on se serrera un peu. C'est tout. Allez Korrigan! Marche devant!

Grand-mère, appuyée sur sa canne, m'a fait signe de la suivre. Je lui ai donc emboîté le pas, pendant que Viviane me soufflait à l'oreille:

— C'est le vieux Salaün qui est allé te chercher? Tu n'as pas eu peur?

— Ben non, voyons...

Elle a souri.

— Eh bien, tu as eu tort. Salaün Trellu, tu sais, c'est Tonton Jean Pôl en personne.

— Tonton qui?

— Le Diable! Salaün, il est un peu sorcier. Un *drouk-avvis*[9] comme on dit. Il ne parle à presque personne sauf à grand-mère pour qui il a eu le béguin autrefois. Quand il passe avec sa charrette, tous les gens se cachent derrière leurs rideaux et font leur signe de croix!

— Ouais, un maudit sauvage, c'est tout juste s'il m'a adressé deux mots.

— Salaün n'aime pas les étrangers. Il dit que vous êtes tous des oiseaux de malheur! Mais moi, je l'aime bien ce vieux fou. Il sait toutes sortes d'histoires à faire dresser les cheveux sur la tête.

Grand-mère, qui se dandinait devant nous en râclant le sol de ses lourds sabots, s'est retournée:

— Vous devez avoir faim. Viviane vous a préparé des crêpes de sarrasin.

J'ai chuchoté à la cousine:

— Dis, pourquoi elle me dit «vous» grand-mère?

Viviane a souri de nouveau et, dans ses yeux, j'ai lu une sorte d'étonnement amusé.

— En Bretagne, tout le monde se vouvoie. Même le boucher dit à son cochon, avant de le saigner: «resped deoc'h», respect à vous. Si on te tutoie, l'Américain, méfietoi...

Elle a dû sentir que j'étais un peu déso-
rienté et elle a aussitôt ajouté:

— Rassure-toi, si moi je te tutoie, c'est
parce que je viens de la ville. Mais à
Kervinou, tu sais, ils vivent pas mal à l'an-
cienne. Tu vas voir, grand-mère n'a même
pas l'électricité. Si je te disais que lorsqu'on
lui a offert une télé, elle l'a ouverte juste une
fois... s'écriant que tout ça c'étaient des in-
ventions du démon ou du Gars-aux-pieds-
de-cheval[10], comme elle dit.

Elle avait raison au-delà de ce que
j'aurais pu imaginer.

À peine ai-je mis les pieds dans la maison que j'ai eu effectivement l'impression de
faire un bond d'un siècle dans le passé.
Dans le couloir, juchées sur les poutres, il y
avait des poules en liberté qui nous ont ac-
cueillis par un concert de protestations.

Viviane m'a mis en garde.

— Méfie-toi de celle-là, la grosse noire,
c'est une vicieuse. Si tu passes sous elle, tu
peux être sûr qu'elle va te lâcher un petit
cadeau sur le crâne.

Les murs de la grande salle commune
dans laquelle on m'a invité à entrer étaient
blanchis à la chaux et le sol était en terre
battue. Dans la lumière incertaine de la
lampe à pétrole qui allongeait les ombres
démesurément, j'ai cru apercevoir une che-

minée monumentale encadrée, à droite, par une horloge qui battait gravement la mesure de son balancier de laiton et, à gauche, par une gigantesque armoire ornée de clous dorés dont la corniche touchait presque le plafond.

Je tombais de sommeil, mais j'ai dû avaler une douzaine de crêpes et une double part de *kouign-amann*[11] avant que Viviane ne vienne à mon secours en me voyant repousser mon assiette et bâiller à me décrocher les mâchoires.

— Je pense qu'il est tard grand-mère…

Grand-mère a hoché la tête, déçue, et tout en rangeant ses assiettées de charcuterie, elle a réfléchi à haute voix:

— Où on va te mettre, mon grand? Moi, je dors là près du feu. Il reste le lit-clos. Toi, tu coucheras en bas et Viviane à l'étage.

Avez-vous déjà dormi dans un lit-clos? Non! Eh bien imaginez un placard avec des portes à glissières dissimulant deux couchettes superposées garnies chacune d'une paillasse de balle d'avoine. On monte là-dedans tout habillé en escaladant le banc coffre qui se trouve devant. On se cogne partout. Ça craque dès qu'on se retourne. Ça sent la cire et le vieux bois. Mais le pire, c'est qu'on ne peut même pas s'allonger complètement. On dort là-dedans à moitié assis.

C'est fait exprès, paraît-il, parce qu'ils disent, là-bas, que se mettre à plat sur le dos porte malheur: c'est prendre la posture des morts!

Je venais à peine de me glisser sous l'édredon lorsque Viviane, à son tour, est montée se coucher. Je l'ai entendue se déshabiller. J'ai senti les planches ployer sous le poids de son corps. Il m'a semblé que je respirais même son parfum.

J'ai souhaité bonne nuit à tout le monde.

Grand-mère m'a répondu en soufflant la lampe:

— *Nozvat*[12]! Je vais donner mon âme à Dieu et mon cul aux puces.

Bizarrement, alors que j'étais exténué, je n'arrivais pas à m'endormir.

Grand-mère, elle, s'était déjà assoupie et ronflait avec de longs râles.

Par contre, à l'étage au-dessus, Viviane semblait, elle aussi, éprouver de la difficulté à trouver le sommeil. Elle se tournait et se retournait dans un incessant froissement de paille.

Tout à coup, elle a cogné discrètement.

— Yannick, tu dors?

— Non.

Long silence.

Puis, dans un murmure qui m'a fait tout drôle, elle m'a dit:

— Je suis contente que tu sois là!

J'ai eu alors l'impression confuse que ma présence, non seulement ne lui déplaisait pas, mais encore qu'elle la délivrait en partie de quelque chose ressemblant à une peur sourde. Une peur sans objet précis qu'elle cherchait depuis le début à dissimuler.

Cette nuit-là, j'ai fait un rêve singulier...

Minuit venait de sonner quand, sans être vraiment éveillé ni endormi, j'ai été frappé par le silence. Un silence total... presque inquiétant... Sur le coup, je me suis fait la réflexion suivante: «Tiens, l'horloge est arrêtée.»

Flottant toujours à la frontière du songe et de la conscience, j'ai remarqué alors que grand-mère ne ronflait plus. À peine respirait-elle. Quant à Viviane, elle était immobile, telle une morte! Et soudain, dans ce silence presque palpable, un bruit insolite. Presque inaudible au départ, puis plus distinct, revenant régulièrement... obsédant. On aurait dit le souffle d'une bête grattant rageusement la cloison qui la retenait captive. C'était peut-être Korrigan? Impossible. Il dormait sur le lit, au pied de grand-mère. Sans doute était-ce une sorte d'hallucination causée par toute cette bouffe que je n'arrivais pas à digérer. Il fallait que je cesse d'écouter... J'allais me réveiller... Il ne fallait pas m'en faire.... Oui, j'allais sortir de ce cauchemar, soulagé et tout en sueur.

Mais le bruit continuait... plus fort... plus brutal aussi. Cela ressemblait maintenant à des martèlements et cela semblait provenir de... la grande armoire, près de la porte.

C'est alors qu'une pensée troublante m'a traversé l'esprit: comment se faisait-il qu'un tel vacame ne réveillait pas les autres? Étais-je le seul à l'entendre?

Au bout d'une heure qui m'a semblé durer un siècle, les coups ont fini par s'atténuer et s'espacer. Puis, un à un, les bruits ordinaires de la maison ont commencé à se faire réentendre: le tic-tac rassurant de l'horloge, les ronflements de grand-mère, la respiration régulière de Viviane, le crépitement des braises dans le foyer...

Après, je ne me souviens plus trop... J'ai rêvé encore... je pense. Viviane était dans mon rêve et je préfère ne pas préciser ce qu'elle y faisait...

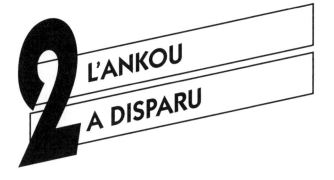

2 L'ANKOU A DISPARU

À l'aube, c'est le chant du coq qui m'a réveillé et comme l'animal était juste à côté, dans le couloir, son cocorico victorieux m'a fait l'effet d'une trompette du jugement dernier.

Je me suis redressé brusquement et… je me suis heurté violemment le front sur les planches de la couchette supérieure!

J'ai entendu Viviane dire quelque chose en breton. Elle était déjà levée et elle a entrouvert le panneau coulissant du lit pour voir si je ne m'étais pas fait trop mal... Elle ne savait pas que je dormais tout nu et, en me voyant, elle est restée figée... ce qui m'a laissé le temps de remonter l'édredon.

— Tu as bien dormi? m'a-t-elle demandé sur un ton faussement innocent.

Question superflue. À voir mes traits tirés, elle a compris que je n'avais guère fermé l'œil de la nuit.

Je m'attendais à ce qu'elle m'explique l'origine de ce sabbat qui m'avait fait passer une nuit blanche.

Mais pas un mot.

J'ai donc fait, moi aussi, comme si de rien n'était et me suis mis à dévorer la large tartine de pain beurré que grand-mère m'avait préparée. Mon bol de café noir sentait bon et, peu à peu, sans que je m'en aperçoive, les terreurs nocturnes qui avaient perturbé mon sommeil se sont finalement dissipées.

À un certain moment, tout en me remplissant une nouvelle bolée de café fumant, Viviane a remarqué que j'observais furtivement la grande armoire, derrière elle.

— Elle est belle, hein? Tu as vu la date sur la corniche? Un antiquaire en a déjà proposé une fortune.

Cette armoire était en effet fort impressionnante. Une vraie cathédrale en bois, avec de robustes ferrures et, sur chaque vantail, dessiné avec des clous de laiton, le Saint-Sacrement et le monogramme du Christ.

— Tu sais, a ajouté Viviane, elle a toute une histoire. On raconte que lorsque l'ancêtre de la famille, Loïc le menuisier, est arrivé avec au pays, il n'a trouvé aucune maison assez grande et assez haute pour l'y installer. Alors sais-tu ce qu'il a fait?

— Non.

— Eh bien, il a fait descendre l'armoire au beau milieu du champ qu'il venait d'acheter et a décidé, tout bonnement, de construire sa maison autour...

Une question, bien sûr, me brûlait les lèvres et je n'ai pu m'empêcher de la poser.

— Et elle contient quoi?

— Personne ne sait. Elle est fermée depuis toujours. Plus précisément depuis la mort de Loïc. N'est-ce pas grand-mère?

— Oui, et il paraît qu'avant sa mort il a jeté la clé dans le puits... a confirmé celle-ci, en se laissant tomber lourdement sur une chaise.

Elle revenait du jardin et semblait très fatiguée.

Viviane, l'air inquiète, s'est agenouillée à ses pieds.

— Il faut vous reposer grand-mère. Yannick et moi, on s'occupera de tout... J'ai déjà nourri les lapins.

En fait, cette journée, au départ, ne laissait rien présager de particulier. C'est sans doute pourquoi les événements tragiques qui ont suivi n'en ont été que plus douloureux... Au point que cinq mois plus tard, je me sens encore lourdement coupable de tout ce qui est survenu.

Quand j'essaie de démêler l'écheveau des événements qui m'ont mené où j'en suis rendu aujourd'hui, le premier souvenir qui me revient est celui-ci: Viviane m'avait proposé de visiter le pays. Bras dessus, bras dessous, nous nous sommes longuement promenés sur la lande au bord de la mer.

Il y avait du vent et je revois encore le geste que ma belle cousine faisait régulièrement pour rejeter en arrière ses mèches rebelles qui lui tombaient dans les yeux.

Je pense que j'étais déjà un peu amoureux d'elle et... je crois qu'elle le savait.

Nous sommes descendus sur une petite plage coincée entre des rochers qui ressemblaient avec leur chevelure d'algues, à des têtes de géant enfouies jusqu'au cou.

— On se baigne? a proposé Viviane. Et d'un geste vif, elle a ôté son T-shirt, dénudant ses seins sans la moindre gêne, avant de plonger dans l'eau.

Je l'ai suivie en sautillant sur une patte pour me débarrasser de mes jeans dans lesquels je m'étais empêtré. L'eau était glacée et j'avais l'impression qu'on m'enfonçait des milliers d'aiguilles dans les cuisses.

Nous avons nagé droit vers le large, si loin que je me suis demandé un moment si j'aurais assez de force pour revenir. Viviane, elle, semblait éprouver une sorte de joie sauvage à lutter contre les courants qui nous entraînaient vers les rochers où les vagues venaient exploser en gerbes d'écume.

De retour sur le rivage, épuisés, nous nous nous sommes jetés sur le sable. Nous sommes restés ainsi un long moment, silencieux.

— Tu aimes la mer? m'a demandé Viviane.

Elle était tout contre moi et, quelque peu gêné par sa nudité, j'ai répondu stupidement:

— Oui, c'est beau.

Mais elle n'a pas relevé l'insignifiance de ma remarque et a continué, songeuse:

— Moi, la mer me fait penser à la mort... Belle et impitoyable. Sais-tu qu'il y a sûrement autant de Bretons au fond de l'océan que dans les cimetières?

— Quelle drôle d'idée! La mer n'est pas triste. La mer, c'est les vacances! C'est la vie au contraire.

— Ça, c'est ce que pensent les touristes. Les étrangers ont la tête remplie d'images de cartes postales. Ils ne voient qu'un côté des choses.

Viviane a pris alors, dans sa paume, une poignée de sable blanc.

— Tiens, tu sais comment elle s'appelle cette plage où les enfants viennent faire des pâtés et les filles se dorer au soleil?

— Non.

— *Trez ruz*, la terre rouge. Tu veux que je te dise pourquoi?

Et elle m'a raconté alors une histoire incroyable qu'elle tenait du vieux Salaün.

Après chaque tempête, à cause des vents et des courants marins, la mer rejetait souvent sur la grève des noyés et des épaves de toutes sortes qui, autrefois, constituaient un véritable don du ciel pour les gens du pays. Au point que, certains jours de tempête, c'était presque tout le village qui se réunissait au bord de la mer et invoquait le bon Dieu ou... l'enfer en lançant cette prière aux flots déchaînés:

Avel uhel, avel norzh
A zigas ar peñse d'ar vord,
Ha me araok
Da c'hoari va faotr;
Ha pa-d-apjeen d'ar grouk
Teuio un tortad war va chouk!

(Vent d'est, vent du nord
Amène naufrage à la côte
Et moi d'aller de l'avant
Mon beau diable faisant
À la potence quand j'irai
Mes épaules ploieront sous le poids.)

Or, on racontait qu'au siècle dernier un pauvre pêcheur descendant d'une longue lignée de «*paganiz*[13]» avait eu une idée horrible. Au cours d'un terrible ouragan, pour forcer le destin et aussi pour donner du pain à ses douze marmots, il avait attaché une lanterne aux cornes de sa vache. Puis, il avait conduit celle-ci sur la pointe, au nord de la plage, là où l'éperon de la côte se prolonge en un chapelet d'îlots balayés par des lames furieuses.

Le résultat ne s'était pas fait attendre. Un grand quatre-mâts anglais, perdu dans le brouillard, avait confondu cette lumière dansante avec celle du phare de Penmarch et, toutes voiles dehors, il était allé s'éventrer sur les écueils de la Roche-noire... Pas tellement loin d'où nous étions...

Toute la nuit, on entendit, dit-on, les hurlements des femmes et des enfants que chaque vague déferlante arrachait des mâts et des haubans auxquels ils s'accrochaient désespérément.

Le lendemain, les cadavres jonchaient la plage et le sang rougissait le sable. Bientôt tous les hommes et toutes les femmes des fermes alentour furent sur place pour faire leur macabre récolte. Loïc aussi y était.

On déshabilla les pauvres morts. On leur vola leur montre de gousset, leurs jupons et leurs bottines, leur or et leurs bijoux et... comble d'horreur, quand les bagues étaient trop difficiles à enlever, on sectionnait les doigts au couteau ou avec les dents. Une dénommée Rozen en aurait ramassé de cette manière un plein panier...

J'ai regardé Viviane, épouvanté, incrédule. Mais elle a poursuivi son récit, les yeux fixés sur l'horizon.

— ... Et les corps sont restés là, emportés et ramenés par chaque marée. Certains se sont échoués, ont été coincés entre les rochers et mangés par les crabes. Plus personne n'osait venir ici. Car le soir, on entendait toujours des cris et des gémissements transportés par le vent. Plusieurs disaient même avoir rencontré dans les dunes l'ombre d'une femme, cheveux mouillés et qui, mains tendues, répétait sans arrêt: «Where is my baby? Give me back my little boy!»

Bien sûr quand la nouvelle a été connue à travers tout le Finistère[14], plus personne n'a voulu acheter quoi que ce soit venant de la région. Bientôt, une épidémie de morts mystérieuses a emporté la moitié des habitants... Cela a duré jusqu'à ce que le curé exige qu'on ramasse tous les ossements et tous les restes à demi ensevelis dans le sable. On a creusé une grande fosse pour les enfouir et on a planté dessus une croix en pierre. Puis les paroissiens, pour expier leur crime, ont dû remettre l'or volé et bâtir la chapelle que tu vois là-bas.

Viviane qui, tout ce temps, avait observé les effets de son récit sur moi, s'est tue soudain.

Elle a renfilé son T-shirt comme si, tout à coup, elle avait eu froid et, assise toute recroquevillée sur elle-même, les jambes serrées dans ses bras et la tête sur les genoux, elle a été saisie d'un brusque frisson.

— C'est l'Ankou qui passe[15]!

— L'Ankou?

— Tu ne penses jamais à la mort?

— Mais de quoi tu parles? C'est quoi l'Ank...?

— Laisse tomber... Allez, on s'en va.

Et tout en époussetant le sable collé à sa peau humide, elle s'est penchée vers moi et, sans explication, elle m'a embrassé sur les lèvres.

Je pensais qu'elle avait décidé de rentrer à la maison. Mais non. Au lieu de suivre la route asphaltée menant à Kervinou, elle a pris un chemin bordé d'ajoncs hérissés d'épines qui remontait vers la pointe. Là, au milieu des bruyères en fleurs, se dressait une chapelle, la fameuse chapelle des naufrageurs, échouée là, au bord de la falaise, comme une barque de pierre en partie démâtée.

Viviane n'avait pas menti. À cent pieds du monument, il y avait bien une croix roussie par les lichens et rongée par le sel avec une inscription rappelant que reposaient ici les 53 victimes du Britannica. Il y avait aussi une date presque effacée: 21 septembre 184..

Mais Viviane ne m'a pas laissé le temps de déchiffrer l'épitaphe au complet. Elle m'a tiré par le bras.

— Viens, je vais te montrer un truc terrible. Une chose comme tu n'en as jamais vu...

Et elle m'a alors entraîné vers la chapelle dont elle a poussé la lourde porte qui s'est ouverte en grinçant de toutes ses charnières.

L'endroit était sinistre.

Ce fut à mon tour de réprimer un frisson. L'intérieur était froid comme un caveau. L'air sentait la cire brûlée et le bois moisi. Pendant quelques secondes, sans doute en raison du passage de la pleine lumière à la semi-obscurité, j'ai été incapable de discerner le moindre objet.

Viviane, sans doute habituée à ces lieux, m'a guidé comme un aveugle, en me poussant par les épaules. C'est alors que je L'AI VU, adossé à une colonne, juste au-dessus du bénitier...

— Tu voulais savoir qui était l'ANKOU, et bien... c'est LUI, le moissonneur des âmes!

Ce qu'elle appelait l'ANKOU, c'était une fantastique statue en granite de kersanton[16]. Une statue qui faisait au moins deux mètres cinquante de haut et qui représentait un être horrible. Une sorte d'écorché vif ou plutôt un squelette auquel pendaient encore des lambeaux de chair. Un squelette avec une perruque blanche descendant jusqu'aux épaules et faite, semblait-il, avec de vrais cheveux humains qui s'échappaient d'un large feutre orné de six rubans noirs. La créature était vêtue d'un long manteau en haillons qui découvrait par endroits sa cage thoracique et ses membres momifiés. Il portait, dans une main, une faux immense au tranchant tourné vers l'extérieur et, dans l'autre, un fémur humain.

— C'est pour aiguiser sa faux! m'a expliqué Viviane. Tu as vu l'inscription sur le socle? En breton ça veut dire: «Je triomphe de tous!»

Littéralement fasciné, j'ai reculé de quelques pas pour mieux voir la statue. Le visage était vraiment impressionnant. Il ressemblait un peu à celui de Salaün. Sauf qu'il n'avait pas de nez. La mâchoire inférieure béait largement, dessinant un sourire affreux qui allait d'une oreille à l'autre. Mais ce qui m'a tout de suite frappé, c'étaient ses deux orbites vides au fond desquelles semblait trembler une flamme incertaine.

— Tu as vu les yeux? m'a fait remarquer Viviane, en devançant encore une fois mes questions. On dirait qu'il est vivant... C'est à cause des deux petites bougies qu'on met dedans...

— Ça donne presque la chair de poule. Mais veux-tu bien me dire ce que cette statue fait ici?

— Quand j'étais petite, Salaün disait qu'on l'avait placée là, il y a plus de cent ans, après l'affaire du Britannica. C'était une manière de l'empêcher de se venger des gens du pays. D'ailleurs, regarde ce qu'elle a aux pieds.

La statue était enchaînée au pilier à l'aide d'une chaîne de métal jaune.

— On dirait de l'....

— Oui, c'est de l'or... L'or maudit des Anglais.

À cet instant, Viviane, tout en me parlant, m'a pris la main. Elle me l'a serrée très fort et j'ai senti ses ongles s'enfoncer dans ma peau.

— Comme ça, ai-je murmuré, l'ANKOU c'est la mort..

Viviane a fait non de la tête et d'un geste vif m'a bâillonné de sa main, tout en m'éloignant de la statue pour aller se recueillir un peu plus loin devant une grande vierge couronnée, Notre-Dame-de-tout-remède, au pied de laquelle elle a allumé un lampion.

— Non, la mort, a-t-elle continué, c'est comme le bon Dieu, elle est invisible. Lui, c'est L'OUVRIER DE LA MORT, comme disent les Anciens. Et il ne faut pas prononcer son nom. Surtout devant lui. Il faut dire: LUI.

Nous sommes sortis de la chapelle. Le vent nous a frappés en plein visage, mais cette bouffée d'air tonique m'a fait du bien.

Nous avons marché et nous nous sommes approchés du bord de la falaise. En bas, la mer, plus furieuse que jamais, bouillonnait en se retirant après chaque assaut.

Viviane semblait perdue dans ses pensées. Pour rompre le silence, j'ai dit, sans réfléchir:

— C'est du folklore tout ça.

Viviane a réagi avec une violence qui m'a surpris et elle s'est lancée dans un discours bizarre.

— Non, c'est très sérieux. Vois-tu, tu ne peux pas comprendre, comment te dire... La mort, les gens d'ici ne la voit pas comme vous, en Amérique. En fait, c'est comme s'il y avait deux manières de mourir. La mort ordinaire, ici, personne n'en a peur. Elle vient te chercher pendant ton sommeil ou bien c'est toi qui l'appelles... LUI, c'est autre chose... LUI, c'est la force sauvage qui sommeille en chacun de nous, la folie du meurtre et du sang. LUI, c'est aussi la peur atroce du néant, la peur qui peut te pousser à te tuer, justement pour cesser d'avoir peur. Tu n'as jamais ressenti quelque chose comme ça?

J'ai bafouillé:

— Non... non... je... je ne crois pas...

Elle m'a regardé droit dans les yeux.

— Menteur. Regarde en bas. Regarde! Tu ne te sens pas attiré par le vide? Eh bien, la main qui te pousse, c'est la sienne. La voix qui dit: «Pourquoi pas?» C'est LUI aussi. Et la nuit, tu n'as jamais soudainement pensé avec horreur à quoi tu ressembleras dans ta tombe quand tu seras en train de pourrir lentement? Eh bien, cette idée, c'est encore LUI qui te la grave dans la mémoire pour qu'elle revienne te hanter.

Tout en parlant, Viviane, comme prise de vertige, s'est alors penchée juste au bord de la falaise. Par réflexe, je lui ai saisi le bras.

— Tu es folle!

Finalement, nous avons repris le chemin de la ferme et, tout en marchant, elle m'a raconté d'autres histoires que d'abord j'ai cru sorties directement de son imagination maladive.

Elle disait que l'Ankou apparaissait surtout dans les temps de crise: guerres ou grandes épidémies par exemple. Il prenait alors la forme d'un gros chien noir ou bien, habillé en simple paysan, il faisait le tour des maisons à bord d'une charrette grinçante et, quand les gens l'entendaient, ils glaçaient de terreur. Elle disait aussi que l'Ankou, pour prendre une enveloppe humaine, choisissait de partager le corps d'un mort, généralement celui du premier défunt de l'année, et qu'il rôdait pendant un an dans cette dépouille ignoble. Puis, au terme de ce temps-là, il quittait le pays ou bien choisissait une autre victime pour continuer son horrible besogne. L'Ankou, selon elle, pouvait disparaître pendant des années, voire des siècles. On le croyait enchaîné à jamais, mais c'était une erreur. À tout moment, il pouvait se réveiller.

Pourquoi Viviane m'avait-elle raconté toutes ces histoire abominables de naufragés lâchement assassinés? Pourquoi m'avait-elle attiré dans cette chapelle lugubre pour me montrer cet épouvantail de pierre? Avait-elle eu, à ce moment, une sorte de prémonition? Se doutait-elle confusément que j'allais être au centre de la série d'accidents funestes qui allaient s'abattre sur nous? Je me le demande encore.

Ensuite, comment les choses se sont passées exactement? J'ai beaucoup de difficultés à me remémorer le détail et l'ordre exact des événements. Mais je vais essayer d'en retrouver le fil...

Attendez, oui... Je me souviens qu'à peine après avoir quitté la chapelle, au détour d'un talus, nous avons croisé un type aux allures plutôt louches qui, en nous voyant, est remonté précipitamment à bord de son camion.

Je me souviens aussi... mais c'est très vague... qu'en traversant le village, nous avons rencontré le postier à mobylette. Il était saoul comme un sonneur (expression bretonne) et nous a envoyé la main en criant d'une voix avinée: «braov an amzer! (Il fait beau!)» Plus loin, je crois aussi me rappeler que trois vieilles, portant la coiffe, nous ont regardés passer en gloussant dans leur dialecte quelques plaisanteries que Viviane a refusé de me traduire...

Non... le seul souvenir bien net que je conserve, c'est celui de notre rencontre avec Salaün...

Il était à pied, une charge de foin sur le dos et, quand il est passé près de Viviane, il lui a adressé un petit signe du menton. Par contre, lorsqu'il m'a vu, il s'est écarté en brandissant son *penn-baz*[17] comme s'il se sentait menacé.

— Voyons Salaün, vous ne reconnaissez pas Yannick? s'est étonnée Viviane.

Mais le vieil homme, la bouche pleine d'injures, n'a même pas daigné s'arrêter et encore moins s'excuser.

— Il est devenu fou! s'est écriée Viviane en le regardant s'éloigner.

Après cela, tout devient confus. Je sais seulement que, le lendemain, je me suis retrouvé seul à la ferme. Viviane était allée au bourg voisin chercher des médicaments pour grand-mère qui, elle, était allée «prendre le café» chez une voisine. Il y avait un petit mot sur la table:

Je reviendrai vers cinq heures. Tu diras à grand-mère que je ramènerai la vache du pré de Pen-ar-ménez. Je n'ai pas voulu te ré-

veiller. Tu dormais comme une bû-
che. Remarque, je comprends. Tu
as gigoté et marmonné presque
toute la nuit. Tu rêvais à quoi?
hein? Non. Ne dis rien.

Je ne veux pas le savoir.
Je t'aime,

Viviane

Sur la table se trouvaient un gros pain paysan et une cafetière où fumait du café chaud visiblement préparés à mon intention.

J'avais une faim de loup. Je me suis beurré une tartine tout en chassant les mouches du beurrier avec mon couteau.

Je sirotais mon café depuis quelques minutes, lorsque je ne sais trop pourquoi, mes yeux se sont posés sur l'armoire. La fameuse armoire «hantée» dont j'avais rêvé l'autre nuit.

Je me suis levé pour l'examiner d'un peu plus près. Elle était bel et bien fermée à clé. Je me demandais ce qu'elle pouvait bien contenir de si précieux ou de si exceptionnel pour qu'on l'ait ainsi verrouillée à jamais.

J'ai passé ma main sur le bois. Il était doux et lisse. J'ai frappé trois petits coups sur l'un des vantaux. Rien n'a bougé. Décidément, j'avais dû avoir des hallucinations...

Ce n'était qu'un meuble banal. Mais pourquoi, alors, l'avoir ainsi condamné? La curiosité me rongeait: juste un petit coup d'œil. Et puis, personne n'en saurait rien. Ce serait facile car, habituellement, aucune serrure ne me résistait.

Alors, poussé par je ne sais quel démon, j'ai tordu une fourchette et j'ai introduit doucement une de ses dents recourbées dans la fente. Je n'ai pas eu à déployer beaucoup de talent. Une petite pression et, aussitôt, comme par miracle, le mécanisme s'est déclenché.

Ce qui s'est produit alors dépasse l'entendement.

Les deux portes de l'armoire se sont ouvertes d'un seul coup, comme soufflées par un violent courant d'air. J'ai été projeté à terre. Les meubles ont tremblé violemment et les assiettes du vaisselier ont volé en éclats. Puis à son tour, la fenêtre s'est ouverte à toute volée et l'une des vitres a été pulvérisée, comme si quelque force déchaînée avait balayé la pièce et s'était enfuie par l'ouverture la plus proche.

Quand j'ai repris mes esprits, tout, en apparence, était redevenu normal. Sauf l'horloge: elle était arrêtée.

Tout compte fait, je ne pense pas avoir eu vraiment peur. J'étais plutôt éberlué, avec l'impression confuse d'avoir commis une faute. Une faute terrible dont la nature et les conséquences m'échappaient totalement.

Tant bien que mal, j'ai commencé par réparer les dégâts. J'ai d'abord ramassé les débris de vaisselle et de verre. Ensuite, avec la plus extrême précaution, j'ai empoigné les portes de l'armoire pour la refermer...

Rien ne semblait brisé.

Cependant, quelques détails insolites ont aussitôt attiré mon attention. L'intérieur du battant gauche était couvert d'images pieuses collées sur plusieurs épaisseurs et, du côté droit, étaient fixés un chapelet, des médailles de sainte Anne et deux grosses boules blanches et bleues que j'ai prises pour des boules de Noël mais qui étaient, je l'ai appris plus tard, des «boules de pardon[18]».

On aurait dit que celui qui s'était appliqué à mettre en place tous ces objets de dévotion, avait voulu, en quelque sorte, se protéger contre un mystérieux danger.

Mais où était ce danger?

Car l'armoire était vide. ABSOLUMENT VIDE.

Je n'y comprenais rien. Que s'était-il passé? Mystère. J'ai donc repoussé les deux portes de ce maudit meuble et j'ai fini le ménage au plus sacrant.

J'avais à peine terminé que j'ai entendu Korrigan aboyer. Ce qui a attiré mon attention, c'est la façon dont il aboyait: des hurlements brefs et déchirants. Je suis sorti voir ce qui arrivait.

La brave bête, langue pendante, tirait de toutes ses forces sur sa chaîne. Elle reculait, bondissait et, arrêtée net par son collier, retombait en couinant de douleur.

J'ai tenté de la calmer, mais dès que je me suis approché, elle est devenue comme folle, tournant autour de moi, jappant de plus belle. Je l'ai détachée un instant et j'ai fait mine de vouloir la flatter en lui caressant le museau.

— Qu'est ce qu'il y a?

Mais, dès que j'ai approché ma main, l'animal a fait un mouvement brusque et a détalé ventre à terre.

— Korrigan! Korrigan!

J'ai eu beau m'époumoner et gesticuler, cinq minutes plus tard, il était déjà rendu à l'autre bout du village.

Il fallait que je le retouve au plus vite, car Viviane m'avait prévenu qu'il était du genre à fuguer durant des semaines et à provoquer des accidents.

Guidé par ses clabaudages lointains, je suis donc parti immédiatement à sa poursuite. Après une bonne heure de recherches infructueuses, je l'ai débusqué enfin sur la route menant à Poulgoazec. Il était en arrêt au beau milieu de la chaussée. J'ai essayé de l'attraper. Il m'a montré les crocs. Puis, tout à coup, il a dressé les oreilles, fixant un point à l'horizon.

C'était Viviane qui revenait à mobylette du bourg voisin.

Je m'attendais à ce que Korrigan lui fasse la fête. Mais non. Il avait l'air plutôt inquiet.

Au loin, Viviane nous a vus et nous a fait des signes.

Korrigan, de plus en plus nerveux, s'est alors mis à aboyer sans arrêt. Et puis, d'un seul coup, il s'est élancé. Tout s'est alors passé très vite. Le chien s'est littéralement jeté dans les roues de la mobylette qui s'est mise à zigzaguer. Viviane a poussé un cri, puis elle a disparu dans le fossé, juste au moment où a surgi de nulle part, un énorme camion fou qui a fait une embardée, écrabouillant la mobylette laquelle a volé dans les airs.

Après un moment de stupeur, je me suis précipité au secours de Viviane. Elle était évanouie. Un filet de sang lui coulait du crâne jusqu'à la bouche. Mais ce n'était pas grave. Une simple coupure au cuir chevelu. Je lui ai tapoté les joues et je l'ai prise dans mes bras. Korrigan nous a suivis en boitillant.

— Viviane, ça va? Réponds-moi, je t'en supplie!

Quand elle a retrouvé ses sens, elle accroché ses deux bras à mon cou et m'a regardé l'air affolé.

J'ai bougonné:

— C'est... c'est la faute de ce sacré Bon Dieu de chien.

— Non, non, a protesté Viviane en resserrant son étreinte autour de mon cou, sans lui je crois bien que j'y passais. Tu as vu le camion. C'est insensé... on aurait dit.... qu'il... qu'il voulait m'écraser! Veux-tu bien me dire ce qui se passe?

Encore une fois, sans trop savoir pour quelle raison, je me suis senti responsable.

Bien sûr, j'aurais dû lui parler de l'armoire et des phénomènes intrigants qui venaient de se produire. Je l'aurais sans doute fait si j'avais eu, à ce moment-là, toutes les pièces du casse-tête. Mais comment aurais-je pu imaginer que tout ce qui était arrivé n'était, en fait, que les signes avant-coureurs d'une catastrophe dépassant l'entendement et dont je me trouvais être, par ignorance, l'élément déclencheur?

Forces occultes, maléfices, déchaînement du mal sous sa forme la plus absolue et la plus impitoyable... Il faut dire qu'à l'époque, avec ma mentalité américaine, tout cela n'éveillait en moi que sarcasme et incrédulité.

Cependant, aussi ignare que je pouvais sembler l'être, je n'étais quand même pas aveugle. Je sentais bien, instinctivement, que dans cette succession de faits étranges, il y avait une logique qui m'échappait et la manifestation d'une menace, diffuse mais très réelle.

Le soir même, d'ailleurs, un autre incident, en apparence anodin, est venu confirmer cette impression.

C'est grand-mère qui nous a appris la nouvelle. Tout Kervinou en parlait!

Je pensais qu'elle allait nous parler du camion fou ou de ses belles assiettes cassées.

Pas du tout. À peine si elle a remarqué les dégâts.

Non. Le grand événement du jour, c'était autre chose. Dans la chapelle, la statue de l'Ankou avait DISPARU!!!

Volée? C'était possible. Après tout, d'après Viviane, on ne comptait plus les églises de la région qui avaient été dévalisées. Navires ex-votos suspendus au plafond, rétables sculptés, vierges primitives, gargouilles, angelots dorés, statues de saints guérisseurs arrachées aux niches des fontaines, tout était bon aux pilleurs d'antiquités.

D'ailleurs, juste après la découverte du vol, certains n'avaient-ils pas vu un camion à bestiaux suspect traverser le village à un train d'enfer en klaxonnant sans arrêt?

Mais les anciens du village avaient, paraît-il, une autre théorie... bien que personne ne voulût en parler.

Seul, apparemment, Salaün le taciturne avait, tout à fait exceptionnellement, rompu cette consigne du silence pour avertir grand-mère en ces termes:

— Yvonne Pouldu, si vous m'en croyez, faites comme moi. Mettez vos affaires en ordre avec le bon Dieu. C'est un signe! IL EST REVENU. Il court à nouveau en liberté. *Allez Kénavô* (adieu)!

3 LE JOURNAL DE LOÏC

Trois jours plus tard, Grand-mère est tombée malade. Elle se plaignait de douleurs à la poitrine et Viviane a dû l'accompagner à Quimper pour qu'elle voie un médecin.

Ainsi je me retrouvais seul dans la maison avec Korrigan pour seule compagnie. En apparence, tout était parfaitement en ordre. La vitre avait été réparée, les assiettes remplacées. «Un malheureux courant d'air!» avais-je prétendu. Et tout le monde m'avait cru. Quant à l'armoire, personne n'avait même songé à vérifier si elle avait été déverrouillée. Mais je ne pouvais me mentir aussi facilement à moi-même. Il fallait que je comprenne ce qui s'était passé.

Machinalement, je me suis donc mis à fouiner en quête d'indices susceptibles de me fournir une explication rationnelle. Quelque chose d'anormal s'était produit. Cette maison avait peut-être un secret?

Suivi par Korrigan qui prenait mes recherches pour un jeu, j'ai fouillé dans les tiroirs, rampé sous les meubles, soulevé les paillasses des lits. Rien. C'est alors que l'idée m'est venue de monter au grenier.

On accédait à celui-ci par un escalier très raide au fond du couloir. Le chien sur mes talons, j'ai grimpé les marches étroites une à une en écartant les toiles d'araignées. Arrivé en haut, j'ai soulevé la trappe de l'épaule, tout en repoussant Korrigan qui tirait sur le bord de mon jean.

— Veux-tu bien me lâcher!

Il a jappé, mécontent. Puis il a redescendu l'escalier pour aller se poster en bas, le museau entre les pattes.

Il faisait là-haut une chaleur suffocante et presque tout l'espace était occupé par un fouillis d'objets entassés pêle-mêle comme dans un tombeau égyptien. Il y avait là des costumes anciens: gilets aux broderies dorées, tabliers fleuris, chapeaux ronds traditionnels. Il y avait aussi un rouet bancal, un ancien métier à tisser, deux lourds fers à repasser avec leurs cheminées de fonte, une paire de sabots fendus et des râteaux édentés...

En fait le grenier, tel un musée, conservait tous les souvenirs des familles Pouldu et Le Bozec et j'avais presque achevé d'en faire l'inspection sommaire lorsqu'une volumineuse cantine militaire a attiré mon attention. J'ai forcé le couvercle. Sous une capote militaire bleue soigneusement pliée et un authentique costume de chouan[19] dont la chemise frappée du traditionnel Sacré-Cœur était encore tachée de sang, se trouvait, caché, un volume rouge muni d'un fermoir. UN JOURNAL!

Après un moment d'hésitation, je l'ai ouvert. Il contenait une trentaine de feuillets écrits d'une plume rapide. Une bonne partie du texte était en breton, mais certains passages étaient entièrement en français. En feuilletant les pages, je me suis fait la remarque que celui qui avait tracé ces lignes devait être aux prises avec un sérieux problème, car plus je parcourais les pages, plus l'écriture devenait nerveuse sinon presque indéchiffrable.

J'allais refermer le livre et le jeter dans la boîte quand, par hasard, j'ai lu en haut d'un feuillet: 1843.

J'avais déjà vu cette date-là quelque part...

Mais... mais c'était l'année inscrite au pied de la croix près de la chapelle! La curiosité était trop forte. Un vieux fauteuil d'osier se trouvait là. Je m'y suis installé et j'ai commencé à lire:

30 SEPTEMBRE 1843

Voici une semaine, un navire s'est échoué sur la côte. Beaucoup de passagers sont morts. On prétend que c'est Yann Laou (Jean-les-poux), le pêcheur qui a attiré le bateau sur les rochers, mais Jean-les-poux ne pourra jamais plus nous dire si c'est vrai. Il s'est noyé la semaine dernière.

J'ai honte pour nous, car beaucoup de gens du village non seulement n'ont rien fait pour aider les malheureux naufragés, mais encore ils les ont dépouillés et laissés sans sépulture. C'est mal. J'ignore combien de pauvres diables ont péri dans cette tragédie.

Je suis allé sur la plage. Le spectacle était horrible, l'odeur insupportable. Beaucoup de corps étaient mutilés. Les mouettes leur avaient picoré les yeux et les chiens les avaient dévorés en partie.

Selon monsieur le curé, presque tout le monde a participé au pillage, mais personne ne s'en vante. Car maintenant, certains ont peur.

Le vieux Corentin, qui sait tout, a même eu cette phrase: «Tous ces morts avec leur bouche ouverte et leurs bras dressés vers le ciel crient vengeance. Ils appellent vous savez qui... IL est déjà en route attiré par l'odeur de charogne! Vous verrez!... Vous verrez!»

1ᵉʳ OCTOBRE 1843

Corentin avait peut-être raison. La terreur superstitieuse qui a gagné tout le village a déjà fait sa première victime.

Ce matin, on a retrouvé Fanch Le Coz, du Croëzou, le crâne fendu. Il a glissé, semble-t-il, sur les ardoises de son toit qu'il était en train de réparer.

Fanch a déliré toute la nuit. Il grelottait et ne lâchait pas la main de sa femme. Vers minuit, il s'est mis à hurler: «Le voilà, IL arrive! Entendez-vous sa charrette?»

Nous n'entendions rien.

Dix minutes plus tard, il a recommencé à crier:

«IL est là! IL tourne autour! Il frappe!... Vous l'entendez? Vous l'entendez? IL vient me chercher!»

Ce pauvre Fanch avait les yeux exorbités. J'ai ouvert la porte: il n'y avait personne. Il s'est alors dressé sur son lit, en proie à des convulsions terribles et il a ouvert démesurément la bouche, comme s'il voyait quelque chose de cauchemardesque.

Puis il a rendu l'âme.

8 OCTOBRE 1843

Toute la semaine, il s'est produit des choses bizarres. Comme des avertissements ou des signes que personne ne savait comment déchiffrer.

D'abord, un brouillard épais à couper au couteau est tombé sur le village. Seule la corne de brume, tel l'appel d'une bête blessée, déchire cet océan de vapeur dans lequel on a l'impression de se noyer. Plus personne n'ose sortir. Il n'y a que Josik la boiteuse qui se risque dehors. Chaque jour, elle se rend à la chapelle prier pour l'âme de son défunt mari.

Or, hier matin, comme à l'accoutumée, elle a voulu allumer un lampion au pied de la Vierge. Par trois fois la mèche s'est éteinte! Et quand Josik est sortie, un gros chien noir l'a suivie. Elle en tremble encore.

Depuis, tous les chiens du village semblent devenus fous... Ils aboient tout le long du jour, comme si quelque étranger rôdait dans les parages.

9 OCTOBRE 1843

Le soleil est revenu, mais on a retrouvé Josik la boiteuse noyée dans le lavoir. Elle avait des marques de crocs à la gorge.

13 OCTOBRE 1843

C'est au tour de Kado le sabotier à avoir des hallucinations. Il prétend que chaque nuit, un homme tout en noir fait les cent pas dans sa cour.

14 OCTOBRE 1843

Kado s'est ouvert le poignet avec un de ses ciseaux. On l'a retrouvé assis sur son banc. Il s'était vidé de son sang.

17 OCTOBRE 1843

Dans trois fermes différentes, à Pouldreuzic, à Méjou-Roz et à Penhors, trois hommes sont morts. Deux se sont pendus dans leur appentis après avoir revêtu leur veste et leur bragou[20] du dimanche.

Je connaissais le troisième. Il s'appelait Hervé le Troadec, dit Grands-Pieds. C'était le plus grand trousseur de jupons du pays bigouden et le meilleur sonneur[21]. Un gars qui, lorsqu'il soufflait dans son biniou, aurait forcé le diable à danser la gavotte en levant les genoux jusqu'aux épaules.

Le sacré renard! Pas un poulailler qu'il n'ait visité. Ah! Il en a offert des pommes d'amour[22] et en a accroché des bouquets aux fenêtres des filles[23]! Mais c'est bien fini! Un mari jaloux lui a fendu le crâne d'un coup de hache après l'avoir trouvé couché dans le foin avec sa femme, la belle Marianna, une créature bien pommée[24] et prompte à relever ses cotillons.

Les amants étaient pourtant prudents et la belle était futée. Elle avait planté, sous la semelle de son sabot droit, six clous en forme de cœur, si bien que pour la rejoindre, Grands-Pieds n'avait qu'à la suivre à la trace.

Qui a vendu la mèche au mari? Personne ne le saura, car le bonhomme a disparu. L'infidèle aussi.

Il paraît qu'hier soir, quelqu'un, à la lumière de la pleine lune, les a vus quitter Kervinou à bord d'une charrette. La belle pleurait en hurlant qu'elle ne voulait pas mourir. Son époux, quant à lui, avait l'air d'un condamné qu'on mène à la guillotine.

Ce matin, sous la pluie, on a enterré Grands-Pieds. Encore un qui va engraisser les racines du grand if dans le cimetière[25].

19 OCTOBRE 1843

Il pleut et il vente à arracher les coqs des clochers. Par contre, depuis quelques jours, tout semble redevenu calme. La petite Jacquette, par contre, m'a raconté une drôle de rencontre qu'elle a faite sur la route entre Lambadu et l'étang de Poulguidou.

Bien sûr, comme Jacquette Guennoc est un peu simplette, il ne faut pas croire tout ce qu'elle dit, mais...

La petite était allée ramasser du bois mort. Elle revenait avec son fagot ficelé sur les épaules lorsque, dans un chemin creux, elle a rencontré une charrette embourbée. Deux hommes poussaient à l'arrière et un troisième plus grand, debout sur le devant, pestait contre ses deux chevaux. L'une des bêtes, d'après Jacquette, était si efflanquée qu'elle tombait à genoux sous les coups de fouet. L'autre, au contraire, robuste et secouant sa crinière, se jetait furieusement en avant dès que la badine de coudrier lui cinglait la croupe.

Rien n'y faisait. Les roues de la charrette étaient enfoncées jusqu'au moyeu.

Jacquette, qui a le don de parler aux animaux, n'a pas hésité. S'enfonçant jusqu'aux genoux dans la boue, elle a pris les deux bêtes par la bride et leur a parlé à l'oreille comme elle seule sait le faire.

Alors, les deux chevaux se sont arc-boutés et, bandant tous leurs muscles, se sont extraits du cloaque.

Le charretier, qui portait un grand chapeau noir, a remercié Jacquette et a fait remonter ses deux aides, l'un obèse et l'autre très maigre.

Puis, l'homme au grand chapeau a demandé où habitait les Guennoc, une famille de penty[26] chez qui il se rendait.

Jacquette a répondu en pleurnichant que c'étaient ses parents et que leur hutte se trouvait un peu plus loin à main droite. En claudiquant, elle a même couru ouvrir la barrière devant chez elle.

L'homme a hésité un moment et, quand il a vu que Jacquette sanglotait, il lui a demandé d'une voix d'outre-tombe:

— Pourquoi pleures-tu fillette?

— J'ai perdu un sabot dans la boue. Ma mère sera furieuse contre moi.

Alors l'homme s'est tourné vers un de ses serviteurs et a dit:

— Donnez-moi ceux que portait la jeune mariée. Là où elle va, elle n'en aura plus besoin pour danser.

Et l'homme a alors tendu à Jacquette deux sabots à clous argentés, magnifiques, entièrement sculptés depuis la bride jusqu'à la pointe.

Jacquette a voulu embrasser l'homme pour le remercier. Mais celui-ci l'a repoussée et il est reparti en passant tout droit devant chez les Guennoc.

— Monsieur, monsieur! a crié Jacquette, vous vous trompez de chemin!

Et l'inconnu lui a souri:

— Une autre fois, fillette... une autre fois.

J'ai pressé Jacquette de me raconter la suite. Mais, les joues rouges de plaisir, elle a d'abord tenu à me faire admirer ses sabots neufs en les faisant claquer sur le plancher de mon atelier, pendant que je finissais de varloper le cercueil destiné à celui qui s'était pendu à Penhors.

Elle est l'innocence même. Et tout en la regardant sautiller et faire voler sa robe, je lui ai demandé, intrigué:

— Et l'homme, a-t-il dit autre chose?

— Oui.. a réfléchi Jacquette la simplette. Il a dit: «Tu diras à ta mère et à ton père qu'ils sont chanceux de t'avoir.»

— *Et la charrette, tu te souviens de ce qu'il y avait dedans?*

Jacquette a fait la grimace et a plissé les yeux pour mieux se souvenir.

— *Allons, fais un effort!*

— *Oui, oui, s'est écriée Jacquette en faisant claquer ses talons et en esquissant un pas de danse. C'étaient des cochons. Ils étaient sous une bâche et ils criaient comme des enfants. Vous savez bien Loïc comment crient les cochons, quand on va les égorger. On croirait entendre des êtres humains!*

24 OCTOBRE 1843

Anna Guennoc, la mère de la petite Jacquette a rendu l'âme ce matin. Mais, au contraire des autres, elle s'est éteinte paisiblement et, comme le veut la coutume, on l'a couchée dans ses plus beaux habits, sur la grande table, entre deux draps blancs suspendus aux poutres. Le curé était à ses côtés et Jacquette la simplette chantait, assise sur le seuil, son chat[27] sur les genoux et ses beaux sabots aux pieds.

27 OCTOBRE 1843

La nuit dernière, j'ai été réveillé par un bruit qui ressemblait au «wig-a-wog» que fait entendre une charrette à l'essieu mal graissé. Qui pouvait bien charroyer quoi à cette heure-là? Je me suis levé. Il n'y avait personne. Je me suis recouché, le bruit a repris. La charrette a semblé ralentir devant la maison pour s'arrêter enfin devant chez Le Bihan, le brodeur d'habits.

Cinq minutes plus tard, j'ai entendu sa femme, la Jeanne, pousser un grand cri. Leur fille venait de mourir.

29 OCTOBRE 1843

C'est maintenant toutes les nuits qu'on entend rouler et grincer la charrette maudite. Et c'est toutes les nuits que retentissent des clameurs désespérées.

Comme menuisier, l'ouvrage ne manque pas. Les cercueils à fabriquer sont si nombreux que le bois commence à me manquer.

1er NOVEMBRE 1843

Hier soir, veille de la Toussaint, selon la tradition, j'avais fait un grand feu dans l'âtre et déposé sur une nappe blanche les plats traditionnels: une tourte de pain enveloppée dans une serviette, du cidre, du lait caillé et des krampoennig an anaon (crêpes des trépassés) pour nourrir les dé-

funts qui, en cette nuit sainte, quittent leur tombe pour venir se chauffer et se régaler là où ils ont vécu autrefois...

Nos morts, d'habitude, sont discrets. Ils viennent s'asseoir au coin du feu où on les entend chuchoter. Leurs ombres familières errent dans la maison. Puis, après avoir caressé les meubles et grignoté quelques miettes, ils s'en retournent en soupirant vers le cimetière ou le charnier.

Cette année, au contraire, nous avons vécu une vraie nuit de terreur, comme si tout notre village avait été envahi par une horde de démons.

Vers une heure du matin, plusieurs de ces créatures spectrales ont envahi la maison. Elles ont secoué le lit-clos où nous dormions, ma Katélik et moi. Puis elles ont tout cassé. Elles ont même jeté dans le feu les escabeaux et la huche à pain. Et, sans arrêt, elles gémissaient dans une langue étrangère tout en répandant une odeur putride insupportable.

Katélik, glacée d'effroi, s'était réfugiée dans mes bras et, en dépit de mes efforts pour la rassurer, elle a hurlé une grande partie de la nuit.

À l'aube, elle avait les cheveux tout blancs et ne me reconnaissait plus....

3 NOVEMBRE 1843

Nous avons encore enterré cinq ou six pauvres bougres. Notre vie est maintenant presque entièrement organisée en fonction de la cloche des morts dont les tintements lugubres nous annoncent les nouveaux décès.

Sept coups! Ce doit être Mimi, la dentellière. Elle était au plus mal hier. Neuf coups! C'est un homme. Qui se peut-il être?

5 NOVEMBRE 1843

— Nous allons tous périr! Nous sommes maudits!

C'est ce que Silvestik, lip-e-werenn (liche-verre), notre bedeau, répète dans la rue depuis des heures en agitant sa clochette.

Certains disent que Silvestik a des pouvoirs et qu'il est capable de lire l'avenir grâce à un vieux grimoire que lui a donné son oncle le curé de Plogoff. Moi, je crois plutôt que Silvestik est devenu fou. Il raconte à tous que c'est son Ar vif[28] qui lui a révélé notre fin prochaine.

La panique est déjà en train de gagner la moitié de Kervinou.

Quand cet illuminé de bedeau est passé devant chez moi, je l'ai attrapé par le col en lui criant:

— Arrête de déraisonner. Qu'est-ce que tu nous chantes avec ton Ar vif? Tu ne penses pas que les choses vont déjà assez mal sans que tu en rajoutes?

Il m'a regardé avec ses yeux globuleux injectés de sang. Il sentait le gwinardant *(eau-de-vie)* à plein nez et il m'a m'injurié:

— Ann tanfoultr war n-out! *(Que le tonnerre t'écrase!)* Oui, Tous! Nous y passerons tous. Mon Ar vif me l'a dit. Tu ne me crois pas menuisier. Tu ne crois pas à la puissance de mon livre, hein?

Je l'ai alors repoussé brutalement et il s'est mis à clamer encore plus fort:

— Mon Ar vif, il sait tout. Tu verras... tu verras. Tout ce qui est écrit sur ses pages rouges est de la main du Cornu *(diable)* en personne.

Silvestik s'accrochait à moi. Il en avait presque l'écume aux lèvres et quand j'ai cherché à le calmer, il a repris de plus belle en bafouillant et en me postillonnant au visage.

— Tu sais, menuisier, j'y ai vu les noms. Nous y étions tous... Tu... tu ne me crois toujours pas! Pâtée à chien! Châtreur de porcs! An diaoul r'az tougo! *(Que le diable t'emporte!)* Tu ne me crois *pas... mais ton nom y était aussi, Loïc, je peux même te dire le jour et l'heure où...*

S'il n'avait pas été si saoul, je l'aurais assommé. Mais j'ai préféré m'arracher à lui et poursuivre mon chemin.

Quand je me suis retourné, il était toujours debout dans la rue, agitant sa clochette comme un forcené en répétant:

— *Tous maudits, je vous le dis.* Doué da bardôno d'an anaon*! (Dieu nous pardonne!)*

C'est à cet endroit que j'ai interrompu ma lecture. La tête me tournait un peu. Il fallait que je prenne un peu d'air frais.

J'ai donc remis soigneusement le volume à sa place et je suis redescendu à tâtons. J'ai pris un verre d'eau. Puis je suis allé m'asseoir sur la margelle du puits entre un hortensia bleu et un bouquet de roses trémières qui montaient jusqu'au toit. Il faisait presque froid. Les idées se bousculaient dans ma tête.

Superstitions! Tout cela n'était que superstitions! J'avais trop d'imagination.

Et puis, après tout, j'étais en vacances! Que m'importait toutes ces histoires de Bonhomme-sept-heures! Il fallait que je résiste au charme maléfique de ce pays qui réveillait en moi les fantasmes les plus morbides. Charme d'autant plus redoutable pour mon équilibre mental que, lorsque je commençais à mettre un peu d'ordre dans mes idées, c'était l'image de Viviane qui venait me troubler... et tout, de nouveau, était brouillé.

Je divaguais ainsi depuis au moins quinze bonnes minutes quand, tout à coup, j'ai remarqué l'absence de Korrigan. Où avait-il bien pu passer, lui d'habitude si collant?

— Korrigan!

Il était caché derrière les fleurs et gémissait piteusement.

— Voyons Korrigan! Que fais-tu là? Tu as peur?

C'est alors que j'ai eu la certitude d'être observé par quelqu'un.

J'ai relevé la tête.

Un gros chien noir, battant de la queue avec rage, était assis au milieu de la cour, les oreilles dressées.

Je lui ai lancé une pierre. Celle-ci l'a atteint en plein museau. Mais il n'a pas bronché et a seulement grogné en découvrant ses dents jaunes. Puis il s'est levé et est parti tranquillement, sans détacher son œil rouge de moi.

4 UNE RENCONTRE INQUIÉTANTE

Lorsque grand-mère est revenue de Quimper, j'ai demandé à Viviane si tout allait bien. Elle m'a rapporté, avec un geste las, les propos lénifiants des médecins:

— Ne vous en faites pas, qu'ils ont dit, votre grand-mère est aussi solide que le phare d'Armen[29]. Le cœur est un peu fatigué mais, à son âge, c'est normal.

Il n'empêche que grand-mère ne semblait pas en forme. Son teint était cireux. Elle se déplaçait plus difficilement et, à certains petits détails, on pouvait deviner qu'elle souffrait: un pincement de lèvres discret, un léger soupir quand elle se levait, ses mains qui se crispaient quand la douleur devenait insupportable.

Sinon, en apparence, elle demeurait tout aussi enjouée.

— Allons les jeunes! Pourquoi rester enfermés? Amusez-vous! Allez vous promener! Moi, à votre âge, je ne tenais pas en place. J'étais de toutes les fêtes et de toutes les noces et les beaux garçons, vous auriez dû voir comme ils papillonnaient autour de moi! Mais je savais me défendre, vous savez. J'avais toujours dans mon chignon une grande aiguille et quand un galant me bouchonnait[30] un peu trop ou me tâtait le genou en m'invitant à lui cracher dans la goule[31], il s'en souvenait longtemps, vous pouvez m'en croire.

Viviane, cependant, n'était pas dupe un seul instant de cette fausse gaieté et, plus inquiète que jamais, elle redoublait d'attentions pour elle.

— Avez-vous pris vos médicaments au moins?

— Ne vous occupez pas de moi. Allez! Allez! Pourquoi vous n'allez pas faire un tour? Tiens le Ménez-Hom! Viviane, tu lui as montré le Ménez-Hom?

Viviane s'est tournée vers moi pour voir ma réaction et, voyant que j'approuvais, elle a dit presque à regret:

— D'accord. Nous ne reviendrons pas tard.

Nous avons emprunté des bicyclettes à un voisin et nous sommes partis. Nous avons d'abord pédalé une dizaine de kilomètres au bord de la mer sur une route sinueuse où les autos nous dépassaient en klaxonnant. Puis nous avons gravi une série de collines chauves où s'accrochaient quelques pins chétifs aux formes torturées.

Vers midi, nous sommes enfin arrivés au sommet de ce fameux Ménez-Hom, une montagne qui domine toute la région. J'étais à bout de souffle. Viviane, elle, ne semblait pas du tout fatiguée. Nous sommes descendus de vélo et nous avons gravi les derniers mètres à pied.

Au sommet, la vue était splendide. On avait l'impression de dominer le monde. Viviane a montré du doigt un point à l'horizon.

— Tu vois là-bas, au fond de cette baie, on dit qu'une ville est engloutie et que les jours de tempêtes, on entend ses cloches au fond de l'eau.

Je l'écoutais d'une oreille distraite. Moi, ce qui me fascinait, c'était le vent qui hurlait à tue-tête et chassait devant lui des troupeaux de nuages noirs qui, à nos pieds, roulaient en masses tumultueuses avant d'aller crever à l'intérieur des terres.

Viviane, qui m'expliquait que la montagne où nous étions était un lieu sacré pour les anciens Celtes, avait l'air d'être frigorifiée. Je l'ai enveloppée dans mon blouson et nous avons trouvé refuge sous une sorte de monument formé de deux énormes pierres dressées, recouvertes d'une dalle de granite qui devait peser plusieurs tonnes: un dolmen ou plutôt, comme disent les gens de l'endroit, une Roche-aux-fées.

Nous nous sommes assis en dessous et Viviane s'est serrée contre moi. Je l'ai prise dans mes bras. Elle n'a pas protesté. Au contraire, elle m'a embrassé avec une fougue presque brutale:

— Sais-tu ce qu'on faisait ici, autrefois?

— Non.

— Les femmes venaient la nuit frotter leur ventre sur ces pierres en pensant à l'homme de leur cœur et aussitôt celui-ci tombait amoureux d'elles.

Elle m'a alors regardé dans les yeux, puis s'est allongée...

Quand nous avons repris nos bicyclettes pour rentrer, il faisait presque nuit. Le vent avait redoublé de violence et nous avions toutes les difficultés du monde à ne pas verser dans les fossés. Bientôt, il a commencé à pleuvoir. Un vrai déluge qui balayait la chaussée et nous fouettait le visage au point que l'on n'y voyait plus rien.

Viviane roulait en zigzaguant devant moi. Elle avait l'air préoccupée. À un carrefour, elle s'est arrêtée.

— Je crois que je me suis trompée de route... Je... Je suis complètement perdue. Je n'y comprends rien. Je suis pourtant venue ici je ne sais combien de fois!

Complètement trempés, nous nous sommes abrités un moment.

Viviane était désolée:

— Grand-mère va être morte d'inquiétude.

Hélas, le temps ne s'améliorait pas. Des éclairs zébraient le ciel et le tonnerre canonnait autour de nous comme si nous nous étions trouvés au centre d'un formidable champ de bataille. Comme le temps ne s'améliorait guère, nous avons finalement renfourché nos bicyclettes et plongé au milieu de l'ouragan.

Nous avancions péniblement quand, tout à coup, une voiture de gendarmes, suivie d'une ambulance, nous a dépassés en trombe. Trois kilomètres plus loin, à l'entrée d'un hameau, nous les avons rejoints. On nous a fait signe de circuler. Il y avait un homme couché sur une civière et une tache de sang sur l'asphalte. Un accident, probablement.

Nous ne nous sommes pas arrêtés et comme l'orage semblait vouloir faiblir d'intensité, nous avons appuyé plus fort sur les pédales.

Viviane cherchait dans la nuit d'encre un point de repère familier qui nous permettrait de sortir de cet enfer. Mais nous étions aussi désemparés que deux naufragés luttant au milieu d'une mer démontée.

Nous errions ainsi depuis des heures quand, sans trop savoir comment, nous nous sommes retrouvés dans un chemin étroit labouré de profondes ornières. L'eau y ruisselait en charriant une boue grasse dans laquelle nos roues s'engluaient au point que nous ne progressions plus qu'au prix d'efforts considérables. On ne voyait pas à deux mètres, sauf lorsque l'endroit se trouvait tout à coup illuminé par la foudre.

Nous avions erré ainsi au moins une heure lorsque nous avons aperçu deux lumières rouges. C'étaient les feux d'une bétaillère qui avait dû déraper et s'enliser sur le bas-côté. Deux hommes, arc-boutés au pare-chocs arrière, poussaient de toutes leurs forces pour essayer de désembourber le véhicule. Pendant ce temps, à l'intérieur, le chauffeur vociférait des injures tout en faisant rugir son moteur avec, pour seul résultat, des roues virant à une vitesse folle et qui à chaque tentative s'enfonçaient un peu plus.

— Besoin d'un coup de main? ai-je proposé.

Les hommes qui poussaient ne se retournèrent même pas.

Je suis descendu de bicyclette et j'ai mis l'épaule contre une des ailes du camion qui a soulevé des gerbes de boue avant de s'arracher lentement du bourbier qui le retenait.

Les deux hommes, sans un mot, sont remontés dans la bétaillère d'où s'échappaient, par moments, comme des cris d'animaux paniqués. C'est alors que j'ai remarqué l'odeur. Une odeur pestilentielle.

— Pouah! Veux-tu bien me dire ce que transportent ces types?

Viviane, qui pendant toute cette scène n'avait pas bronché, m'a tendu mon vélo:

— Viens, je t'en supplie, partons!

À ce moment-là le camion a démarré et sa cargaison vivante – des cochons sans doute – a poussé en chœur un long hurlement désespéré.

J'ai crié au chauffeur et à ses deux acolytes:

— Hé vous autres! Vous pourriez dire merci!

Mais une ombre s'est penchée alors à la portière et une voix rauque qui ressemblait presque à un feulement a lancé:

— N'en demande pas trop, le jeune! Fiche-moi le camp! C'est toi qui devrais me remercier. Allez les gars, on s'en va. Je dois prendre livraison d'une vieille bête et je suis déjà en retard!

J'ai haussé les épaules et j'ai repris ma bicyclette en criant à Viviane:

— Attends! Mais attends-moi, voyons!

Elle était remontée sur sa bicyclette et filait droit devant elle en proie à une sorte de fébrilité inquiétante, comme si cette rencontre avait éveillé en elle quelque obscur pressentiment.

En forçant un peu l'allure, j'ai fini par la rejoindre:

— Ça va?

— Le camion... Tu as vu le camion!

— Ouais, tu parles d'une belle bande de brutes épaisses!

— Non, le sang... il y avait du sang sur le camion et...

Elle était dans un état de nervosité indescriptible.

— ... Je suis sûre de l'avoir déjà vu. Dépêchons-nous!

Elle est partie à toute allure comme si elle avait la mort aux trousses, pédalant les mains crispées sur le guidon et les yeux fixés sur la route. Je me suis donc mis dans son sillage et nous avons roulé, roulé.

Quelque chose m'échappait. Après quoi courait-elle ainsi? Sentait-elle confusément que quelque malheur était arrivé? Et puis tout à coup, j'ai compris, en apercevant, loin devant nous, deux points rouges et une silhouette noire. Nous suivions le mystérieux camion que je venais de dépanner.

Oui, c'était bien cela. D'ailleurs, par moments, nous nous en rapprochions tellement que j'entendais les couinements et les grognements des bêtes qu'il transportait. Par contre, parfois, comme pour nous narguer, il semblait accélérer et nous le perdions de vue. Mais à quoi rimait ce jeu? J'aurais bien voulu le demander à Viviane, mais la chaussée était glissante et le vent si violent que j'avais déjà bien assez de mal comme ça à garder mon équilibre.

Nous étions maintenant sur une grande route qui m'était familière et en passant devant un calvaire au Christ à demi décloué, j'en ai déduit que nous n'étions plus très loin de Kervinou.

Le camion avait fini par nous distancer et avait complètement disparu.

La tempête, par contre, avait repris de plus belle. De fantastiques décharges électriques griffaient le ciel et semblaient nous chercher, frappant au hasard. La pluie nous aveuglait et le vent nous glaçait.

Tout se passait comme si, plus nous approchions de Kervinou, plus les éléments se déchaînaient.

Enfin, au bout d'une heure de cette lutte insensée, nous sommes arrivés au village, trempés, épuisés. L'orage était passé et il régnait dans Kervinou un calme presque irréel: le calme qui suit les sinistres. Car l'ouragan avait frappé le village avec une sauvagerie incroyable: arbres déracinés, poteaux électriques couchés, fenêtres arrachées... tout soulignait la fureur de la tempête. C'était même comme si, guidé par une puissance formidable, la meute des orages que nous avions rencontrés, tout au long de notre voyage de retour, avait convergé vers ce coin précis de la côte pour y exercer ses dévastations vengeresses et faire expier aux gens de l'endroit quelque faute obscure.

Une faute dont je sentais moi-même le poids. Sans pouvoir expliquer pourquoi.

Notre maison n'avait pas non plus été épargnée. Pire, on avait l'impression qu'elle avait été, en quelque sorte, l'épicentre de ce grand désordre cosmique. Le feu céleste avait mutilé la cheminée et noirci le pignon.

À peine rentrée dans la cour, Viviane a sauté de son vélo et a poussé un grand cri:

— Grand-mère!

Et elle s'est précipitée à l'intérieur.

J'ai su aussitôt qu'il avait dû se passer quelque chose. La ferme, en effet, était envahie par une foule d'inconnus. Des voisins entraient et sortaient. Une vieille femme est venue à ma rencontre et m'a pris la main en répétant:

— *Ma Doué! Ma Doué* (Mon Dieu! Mon Dieu!) Quel malheur!

J'étais comme paralysé et quand j'ai eu le courage, à mon tour, de franchir la porte du logis, j'ai été accueilli par des lamentations et un murmure continu de prières récitées.

Alors, à la lueur des cierges, j'ai vu grand-mère. Elle était allongée sur son lit, les mains accrochées aux draps. Ses yeux étaient grands ouverts tout comme sa bouche, tordue par un rictus horrible. Un homme que je ne connaissais pas m'a soufflé à l'oreille:

— On a voulu lui baisser les paupières, mais c'était trop tard. C'est comme pour ses bras... Elle était déjà trop raide...

Comme je me faufilais dans la foule, une autre personne du voisinage a ajouté:

— On dirait qu'elle est morte de peur. Vous avez vu ses yeux, ils sont tournés vers la porte...

J'ai réussi à rejoindre Viviane qui était penchée sur le lit et secouait doucement la morte en répétant:

— Grand-mère! Grand-mère!

Je l'ai prise par les épaules.

— Viviane arrête... Tu vois bien...

Elle a éclaté en sanglots et je l'ai serrée contre moi.

— Laissez, laissez, a dit une femme, on s'occupe de tout. On va faire sa toilette et l'habiller. Vous, mon garçon, sortez Viviane d'ici... Faites lui prendre l'air. Elle en a besoin.

Viviane ne tenait plus sur ses jambes et j'ai dû la porter dans mes bras.

Dehors, la nuit était sans étoiles.

Nous avons fait quelques pas sur la route et nous nous apprêtions à faire demi-tour quand... tout à coup... nous avons buté sur une masse sombre tapie dans les ténèbres.

C'était un camion stationné d'où s'échappaient des cris presque humains.

Que faisait-il ici?

Mais nous n'avons pas eu le temps d'en savoir plus car, à cet instant, le lourd véhicule a démarré en crachant une grosse bouffée de fumée noire et en lançant un long coup de klaxon.

Viviane, la tête appuyée sur mon épaule n'avait pas vu ce qui venait de se passer. Elle pleurait.

Mais, moi, j'avais reconnu le camion... C'était le même camion à bestiaux que nous avions rencontré sur la route du Ménez-Hom... Oui, c'était bien lui... Je l'aurais juré!

5 LE JOURNAL DE LOÏC (SUITE)

Mon père n'est pas venu à l'enterrement. Trop occupé. Maman n'a pas pu venir, elle non plus. Elle m'a tenu une heure au téléphone avec ses cours de croissance personnelle et de renforcissement de son moi qu'elle avait commencé à suivre... et caetera, et caetera.

On n'a pas trop remarqué ces absences car, outre tous les habitants du village, au moins cent cinquante «cousins» et «cousines», prévenus on ne sait comment, ont assisté à la cérémonie.

Tout s'est fait selon la tradition. On a arrêté l'horloge à balancier. On a voilé le miroir au-dessus de l'évier. On a vidé tous les plats et on a mis Korrigan dehors[32] pour que la pauvre âme de la défunte puisse quitter la maison en paix. Puis, on a enfilé à grand-mère sa robe de noce, et on lui a placé sur la tête sa plus belle coiffe de dentelle. On l'a déposée ensuite tout doucement dans son cercueil, enveloppée dans le drap de lin brodé qu'elle avait conservé depuis toujours dans un tiroir avec tout ce qu'elle voulait emmener dans l'autre monde: ses peignes à chignon, ses plus beaux rubans, sa croix en or, son chapelet à grains de buis et, je ne sais pourquoi, une pièce de cinq francs en argent.

On l'a veillée deux jours et deux nuits en se relayant au son d'une clochette. On a servi à boire. On a mangé des tartines au beurre et au miel. On a dansé même... car il paraît que la musique donne du courage aux esprits en partance pour le grand voyage.

Et quand tout a été terminé, quand les pleureuses n'ont plus eu de voix et que les bouteilles ont toutes été vidées, chacun a embrassé grand-mère sur le front pendant que la couturière cousait son linceul d'une seule aiguillée en prenant soin de ne pas faire le moindre nœud[33]. Enfin on a sorti la bière en la portant sur les épaules.

Viviane a pleuré pendant toute la messe. Moi, ce fut par en dedans.

Après le cimetière, tout le monde s'est dispersé et, Viviane et moi, nous nous sommes retrouvés seuls dans la grande maison. C'est là que je lui ai raconté l'histoire de l'armoire et que je lui ai révélé l'existence du journal de Loïc. Elle a levé son beau visage vers moi et m'a fixé d'un air douloureux. Je ne suis pas sûr qu'elle a vraiment écouté tout ce que je lui ai dit, mais moi, j'ai ressenti un authentique soulagement.

Dans les jours qui ont suivi, nous avons eu, à plusieurs reprises, la visite du vieux Salaün. Il arrivait un peu avant le crépuscule. Il ne m'adressait jamais la parole. Mais, à l'égard de Viviane, il avait au contraire une attitude presque paternelle. Il ne restait jamais bien longtemps et, bien qu'il acceptât volontiers un petit verre de lambig[34], il ne voulait pas s'asseoir, préférant boire debout, pendant qu'il donnait brièvement les dernières nouvelles.

Les gendarmes enquêtaient sur la statue volée. Ils étaient sur une piste. Le député de la région avait visité Kervinou pour constater les dégâts causés par la tempête et éventuellement déclarer le village zone sinistrée. À quelques kilomètres de Sainte-Marie du Ménez-Hom, un grave accident, causé probablement par un camionneur ivre, avait fait un mort.

Salaün n'était pas très loquace et dès qu'il avait terminé sa revue des événements, il se raclait la gorge et prenait congé en lâchant quelques mots de breton qui semblaient s'adresser à moi et qui sonnaient toujours un peu comme des insultes.

Il arrivait parfois que Salaün s'attarde sans raison apparente. Il parais-sait vouloir dire ou demander quelque chose. Et, après un long silence embarrassé, il calait son grand chapeau sur sa tête chenue, jetait un coup d'œil discret à la grande armoire de Loïc, puis, en sortant, avertissait Viviane: «Fermez bien la porte et surtout n'ouvrez à personne!»

Étrange conseil en vérité puisque, en Bretagne, tout le monde le sait, les portes restent toujours ouvertes.

Un soir, Salaün, rompant avec ses habitudes, n'est pas venu. Nous l'avons attendu plus de deux heures, assis à la table, en silence. Quand l'horloge a sonné 11 heures, Viviane a soufflé la lampe à pétrole et a laissé tomber, avec un léger tremblement dans la voix:

— Il ne viendra plus.

Elle ne savait pas à quel point elle avait raison.

Le lendemain, nous avons appris par le facteur que Salaün avait eu un malaise au moment où il venait d'égorger un cochon. La bête était déjà suspendue par les pattes arrière et il avait commencé à la vider, lorsqu'il avait porté la main à son cœur et s'était écroulé.

Un camionneur, qui passait par là, avait assisté à la scène et avait tout raconté dans un bistrot où le patron avait prévenu les gendarmes.

Mais il y avait plusieurs versions du drame. Un autre témoin disait qu'on avait retrouvé Salaün, couché sur un tas de fumier, à au moins vingt mètres de la carcasse de son porc. Il avait encore le couteau à la main. «On aurait dit qu'il s'était battu avec quelqu'un. Le sang avait giclé partout et on ne savait plus si c'était le sang du cochon ou le sien...»

La nuit suivante, couché aux côtés de Viviane, je n'arrivais pas à trouver le sommeil. Cette présence dans l'armoire, ce camion meurtrier, ces morts subites, tout cela tourbillonnait dans ma tête.

Je n'arrêtais pas de me retourner dans le lit. Viviane a soupiré. J'ai effleuré sa nuque du bout des lèvres et lui ai chuchoté:

— Dors-tu?

Elle s'est pelotonnée contre moi.

— Non.

— Je me demande... mais ce n'est pas possible... Se pourrait-il qu'il y ait un lien entre tout ça? Tu te souviens de ce que je t'ai dit à propos du journal dans le grenier: les morts en série, l'Ankou semant la terreur dans Kervinou? Et si...

Viviane s'était assoupie. Mais moi, je ne parvenais pas à trouver le sommeil. L'idée qui avait germé dans mon esprit était toujours là.

Il fallait que j'en aie le cœur net.

Alors, après avoir entendu sonner deux heures du matin, puis trois, sans faire de bruit, je me suis levé et je suis monté au grenier.

Je n'ai eu aucun mal à retrouver le journal au fond de la cantine et dès que je l'ai eu en main, je suis redescendu en cherchant l'endroit où j'avais dû l'abandonner... Après avoir feuilleté une quinzaine de pages à la lueur d'une bougie, j'ai vite retrouvé le passage exact. Je me souvenais parfaitement de la date: 5 novembre 1843. Je ne pouvais pas me tromper, car l'écriture à partir de là, était très différente... presque hallucinée, la plume ayant griffé rageusement le papier, comme si l'auteur avait été sous l'emprise d'une frayeur incontrôlable qui, par moments, semblait même frôler carrément la démence...

J'ai posé le journal ouvert devant moi. Mais à peine avais-je commencé à lire que Viviane s'est réveillée en sursaut.

— Mais qu'est-ce que tu fais? Reviens te coucher.

— Écoute ça...

Elle est venue me rejoindre sur le banc et, à la lumière de la lampe à pétrole, j'ai commencé à déchiffrer à voix haute la suite du récit manuscrit:

11 NOVEMBRE 1843

C'est le décès de la belle Rozen qui m'a amené à comprendre ce qui se passait et ce qu'il fallait faire pour que cesse cette hécatombe sans fin.

Rozen, que j'avais aimée dans ma jeunesse, avait préféré épouser une brute avinée surnommée Frappe-d'abord, qui l'avait réduite à la misère au point que la malheureuse avait dû, à sept reprises, se résoudre à aller vendre ses beaux cheveux blonds au perruquier qui achetait les tignasses des pauvresses à la foire de Pont-Croix. Mais chaque fois, c'était la même chose. Son ivrogne de mari buvait tout l'argent et l'année suivante, Rozen, ravalant toute honte, revenait se faire raser la tête.

Cela avait duré jusqu'à ce que ses cheveux ne soient plus assez soyeux pour satisfaire le marchand.

Heureusement, quelques mois plus tard, Frappe-d'abord avait rendu l'âme après une folle beuverie. À ce qu'on prétend, il était tellement saoul qu'à l'aide de sa ceinture, il s'était attaché par la taille à un chêne pour ne pas tomber le nez dans la boue. Il est mort comme ça, debout comme un marin attaché à son mât, une expression de fureur lui tordant le visage.

Dès lors, la belle Rozen, pour survivre, en est venue à exercer les métiers les plus humiliants. Elle a servi dans les bars à matelots. Puis elle est devenue une vulgaire chiffonnière, une pillaouer[35] ramassant vieux chiffons et peaux de lapin. On la rencontrait souvent allant d'une ferme à l'autre avec sa carriole tirée par un vieux chien pelé.

Cette vie avait rendu Rozen dure et sans pitié.

Aussi, quand elle a appris le naufrage du navire anglais, a-t-elle été une des premières sur la plage.

C'est bien simple: elle volait littéralement de cadavre en cadavre, fouillant fébrilement leurs poches et leur arrachant leurs bijoux avec une rapacité terrifiante.

C'est elle qui, la première, a découvert le corps du capitaine du voilier naufragé. C'était un beau jeune homme aux yeux bleus qui fixait le ciel, étonné. L'homme était couché sur le dos, comme s'il dormait. Il avait la main gauche sur sa poitrine et, à l'annulaire, une chevalière en or sertie d'un gros rubis.

Rozen, évidemment s'est précipitée la première, grognant comme une bête: «Celui-là est à moi!» Elle a alors tiré sur la bague, tiré de toutes ses forces et comme elle n'y arrivait pas... d'un coup de dent elle a tranché le doigt.

Trois jours plus tard, Rozen est tombée malade. Elle a perdu d'abord toutes ses dents. Sa langue a noirci et sa bouche s'est remplie de pus. Puis, tout son visage s'est infecté, devenant une vraie plaie vivante à tel point qu'elle ne sortait plus que la tête enveloppée dans un châle, comme une lépreuse.

Or, il y a une semaine, Rozen, sentant sa fin prochaine, a demandé qu'on la conduise sur la grève auprès du beau capitaine. Mais de capitaine, il n'y en avait plus. On l'a cherché longtemps. Le corps semblait avoir disparu.

C'est encore une fois Rozen qui, bien qu'à demi aveugle, l'a découvert ou plutôt a trouvé ce qui en restait: une main mutilée qui sortait du sable et lançait comme un appel désespéré.

Elle a demandé qu'on la laisse seule... et là, elle a sorti la bague volée d'une des poches de son tablier et l'a enfilée à l'un des doigts tendus de cette main cadavérique qui – miracle! – se serait repliée pour s'enfoncer ensuite dans le sable. C'est du moins ce qu'affirment les témoins qui ont assisté à la scène de loin.

Au petit matin suivant, Rozen a rendu le dernier soupir. Je pourrais même dire avec certitude que c'était un peu avant l'aube. Un bruit, en effet, m'a réveillé en sursaut aux premières lueurs du jour. Un bruit de roue de charrette et de claquements de fouet. Même que je me suis demandé qui pouvait travailler dehors à une heure pareille.

Je sais maintenant qui c'était et qui IL venait chercher.

12 DÉCEMBRE 1843

Voici un mois que je n'ai pas ouvert ce journal. Ceci pour une simple raison: je suis moi-même très malade.

Le mal qui a emporté la belle Rozen s'est répandu partout dans Kervinou. Pour ma part, les boyaux me font souffrir atrocement et rien ne peut apaiser le feu intérieur qui me dévore. Pas même l'eau miraculeuse que ma chère Katélik va puiser chaque jour à la fontaine des Maux-poignants de Plozévet.

Je sens que mon heure est proche. Mais à la différence des autres, moi, je sais pourquoi je meurs... Cet ivrogne de bedeau avait raison: nous sommes tous maudits! Les cadavres attirent **l'ouvrier de la Mort** comme le blé mûr attire la faux du moissonneur.

Nous avons pourtant tout essayé pour l'éloigner. Il y a trois jours, avec les derniers hommes valides rassemblés par le recteur[36], nous avons ramassé tous les ossements et les restes humains de Trez-Ruz. Nous les avons enterrés près de la chapelle et nous avons dressé une croix expiatoire face à la mer. Puis, nous avons descendu de son autel la statue de Notre-Dame-de-tout-remède et, comme au jour des grands pardons, nous l'avons portée sur nos épaules, partout sur la côte. Tous ceux qui pouvaient marcher étaient là, pliés sous le poids des bannières de procession qui claquaient au vent. Tout le monde a chanté jusqu'à s'en casser la voix. Certains sont rentrés à cheval dans la mer pour se purifier de leurs fautes.

D'autres sont restés à genoux des heures et des heures à réciter des ave maria jusqu'à tomber d'épuisement la tête dans le sable.

21 DÉCEMBRE 1843

Je sais que je vais mourir bientôt. Je sais que maintenant, c'est autour de chez moi que rôde la charrette maudite.

Hier soir, j'ai d'ailleurs eu un avertissement qui ne trompe pas. En passant devant le lavoir, j'ai rencontré une femme. Elle était de dos et je ne l'ai pas reconnue sur-le-champ. Je me suis approché.

La lavandière, c'était Rozen, belle comme le jour de ses dix-huit ans, la chemise impudiquement ouverte et la jupe relevée jusqu'aux cuisses. Je lui ai dit:

— C'est bien toi, Rozen... Mais... mais voyons, c'est impossible! Tu es morte!

Elle a continué à battre son drap pour ensuite le rincer dans l'eau noire. Puis elle m'a dévisagé d'un air infiniment triste en mettant sa pièce de tissu à sécher sur les ajoncs.

Quand le fantôme s'est évanoui, je me suis dit intérieurement: c'est un signe. Ce drap sera mon propre linceul.

22 DÉCEMBRE 1843

Avant que les taupes me labourent et que les vers me regardent les côtes[37], je veux faire quelque chose pour conjurer le mal qui nous accable.

J'en connais qui ont cloué un cœur de mouton sur leur porte, d'autres qui ont cousu en cachette des louzous[38] dans les ourlets des vêtements de ceux qui leur sont chers. Moi, je ne peux pas me contenter d'attendre la mort en tremblant de peur.

Je suis donc allé à pied jusqu'à la cathédrale de saint Tugdual. Là-bas, je me suis découvert[39] devant saint Yves, notre patron à tous, et j'ai planté une aiguille dans le bois de sa statue pour être sûr qu'il entende ma prière. Je lui ai dit: «Monsieur saint Yves de vérité, vous êtes le grand juge. Monsieur saint Yves, dans votre très grande sagesse approuvez-vous ce que je veux faire?»

Le saint m'a parlé et je suis prêt à jurer que je l'ai vu hocher légèrement la tête.

J'ai un plan.

23 DÉCEMBRE 1843

J'ai troqué mes ciseaux à bois pour des burins et j'ai commencé à LE sculpter

dans un bloc de granit, peut-être un frag-
ment de pierre haute[40] abattue par les
anciens curés de Kervinou.

J'ai visité les charniers dans chaque
village de Cornouailles pour savoir quel
visage LUI donner. J'ai interrogé les rares
survivants qui L'ont rencontré. J'ai con-
sulté les enluminures des anciens manus-
crits de l'abbaye de Landévennec où on
Le voit dessiné dans toute sa majesté, faisant danser des rondes à des humains
épouvantés. J'ai même suivi les fos-
soyeurs et, au bord des fosses fraîche-
ment remuées, un mouchoir sur le nez
pour résister à l'odeur insupportable, j'ai
fait des croquis qui m'ont glacé d'horreur.

26 DÉCEMBRE 1843

Je dois faire vite, car mes forces décli-
nent. Noël est déjà passé. Je travaille jour
et nuit, si bien que je n'ai même pas eu le
temps de déposer la traditionnelle orange
en sucre dans les sabots de mes enfants ni
de mettre l'échelle dans la cheminée pour
la venue du petit Jésus.

28 DÉCEMBRE 1843

La statue est presque finie. Elle est si
terrifiante que je n'ose plus la regarder.
D'ailleurs, j'ai mis un grand drap blanc

dessus et j'ai interdit qu'on entre dans mon atelier.

30 DÉCEMBRE 1843

ELLE est terminée. J'ai peine à croire que je suis l'auteur d'une telle monstruo-sité. Une force surnaturelle a dû guider ma main.

Le forgeron est venu m'aider à LE transporter dans la grand-pièce de la mai-son, entre le lit-clos et l'armoire. Le for-geron a voulu LE voir, mais je l'en ai em-pêché.

J'ai pris aussi mes précautions en en-voyant ma femme et mes enfants chez mon cousin Hervé Tanguy à Camaret. C'est un homme juste et bon. Il prendra soin d'eux s'il m'arrive malheur.

31 DÉCEMBRE 1843

C'est ce soir qu'IL doit venir me cher-cher. Je le sais. Je le sens.

Dieu me donne la force d'aller jus-qu'au bout!

1er JANVIER 1844

IL est effectivement venu vers trois heures du matin, à cette heure glauque où lorsqu'on ne trouve pas le sommeil, où on doit lutter pour ne pas se laisser happer par le sentiment vertigineux que notre vie commence déjà à basculer lentement dans le gouffre du néant.

IL n'est pas entré directement. IL a d'abord rôdé autour de la maison comme un animal charognard guettant sa proie encore chaude.

Comme pour les autres, j'ai entendu la charrette grinçante. Trois fois elle a fait le tour de la ferme.

Et puis IL a frappé à la porte. Trois coups. Trois coups formidables qui ont fait résonner toute la maison.

J'étais pétrifié et mon cœur cognait dans ma poitrine. J'ai entendu grincer la serrure. Et IL est entré, traînant lourdement les pieds et dégageant une odeur suffocante de putréfaction. C'est alors que je L'ai vu dans toute sa repoussante majesté. IL était exactement comme je L'avais imaginé!

Un homme, ou plutôt une manière de squelette, d'au moins deux mètres de haut, enveloppé dans un ample manteau troué où grouillaient des vers. Sa tête hideuse était dissimulée sous un immense chapeau. Il claquait des mâchoires sans arrêt et tournait comme une girouette fixée à l'axe de sa colonne vertébrale.

— Sais-tu qui je suis? m'a-t-il interrogé d'une voix rauque et lasse qui semblait traduire la souffrance silencieuse du dernier souffle de milliers d'agonisants.

— Oui, je te connais. Tu es celui qu'on ne doit jamais nommer. Tu es la Mort!

— Non, a répondu l'immonde créature, tu te trompes. Je suis l'ANKOU, l'ouvrier de la mort. La mort, elle, nul ne la voit, nul ne peut dire à quoi elle ressemble. Moi, je ne suis que son serviteur. La mort entend les appels des désespérés. Elle hume l'odeur du sang et de la maladie. C'est elle qui dresse la liste des prochaines âmes à faucher. Moi, je me contente de venir ramasser les âmes. Or, ce soir, Loïc Bolduc, c'est à ton tour. Tu es sur ma liste. Tu es élu... et même doublement élu...

J'étais figé d'effroi.

— Pourquoi serais-je «doublement» élu? lui ai-je demandé en tremblant.

— Voyons Loïc, tu connais la réponse aussi bien que moi. Nous sommes le premier janvier et dans quelques minutes tu seras mort. Le premier mort de l'année! C'est donc ton corps que je vais habiter. Tu vas devenir toi-même l'Ankou!

J'ai protesté, horrifié:

— Non! Non je ne veux pas!

IL a haussé la voix et m'a fixé de ses yeux vides.

— C'est la loi. C'est toi qui conduiras la charrette jusqu'à l'an prochain avec deux compagnons que tu choisiras et qui t'obéiront... Et moi, je vais enfin me débarrasser de ces os fatigués et de ces guenilles de chair pour les rendre à la tombe qui les attend depuis des mois du côté de Ouessant, depuis que le marin à qui ils appartenaient s'est noyé en tombant du chalutier, la Marie-Morgane[41] juste la nuit de la Saint-Sylvestre.

En disant ces mots, l'Ankou a alors tendu sa main décharnée vers ma poitrine.

J'ai fait un bond de côté pour lui échapper.

— Attends! Je veux te montrer quelque chose qui t'étonnera! lui ai-je lancé.

— Plus rien ne peut m'étonner. J'ai épuisé les émotions humaines depuis bien longtemps.

Je lui ai montré la statue cachée sous le drap.

— Regarde.

L'Ankou s'est approché et, du bout osseux de la dernière phalange de son index droit, il a fait glisser la pièce de tissu qui dissimulait mon œuvre.

Il a chancelé en bredouillant:

— *Quelle est cette chose innommable?*

— *C'est toi!* lui ai-je crié en montant la mèche de la lampe afin qu'il puisse voir la statue dans toute sa hideur.

— *Tu mens! Tu mens!* a répété le squelette. *Tu mens! Tu mens!* Et sa tête s'est mise à tourner comme une mécanique devenue folle.

Visiblement, le monstre était en proie à la plus vive confusion. Il se palpait le visage de ses mains momifiées, s'arrachait des morceaux de chair, tournoyait, renversait tout, se cognait partout.

J'en ai profité pour ouvrir toutes grandes les portes de l'armoire qui se trouvait derrière lui, puis, j'ai pris le miroir suspendu au-dessus de l'évier et je l'ai brandi devant moi.

— *Quoi, aurais-tu peur de ta propre image? Vois à quoi tu ressembles! Vois ce que tu es devenu!*

L'Ankou a poussé à ce moment un cri déchirant qui m'a arraché les tympans. Un cri atroce.

Il a reculé en titubant et... comme il se trouvait juste devant l'armoire, je n'ai eu qu'à l'y pousser.

J'ai aussitôt refermé les portes et tourné la clé à double tour.

Le piège était refermé.

2 JANVIER 1844

Le monstre est dans sa cage. Il roule à l'intérieur sans arrêt. Il me fait penser au grand loup gris que le marquis de Kerjean a capturé l'an passé. Je l'entends griffer. Je l'entends menacer et jurer. Mais il ne pourra pas s'échapper. L'armoire est solide et, avec toutes les images saintes et les objets sacrés que j'y ai placés, sur les conseils de monsieur saint Yves, il peut bien se débattre pendant cent ans, il restera enfermé entre ses quatre murs de chêne.

5 JANVIER 1844

Le recteur, à ma demande, est venu asperger l'armoire d'eau bénite. LUI, à l'intérieur, ne bouge plus.

7 JANVIER 1844

J'ai visité une à une les maisons du bourg et les fermes des alentours. Les gens savent tout maintenant et chaque famille a tenu à me remettre ce qu'elle avait volé aux Anglais. Les pierres précieuses ont été offertes à Notre-Dame-de-tout-remède et cousues sur sa robe. L'or a été fondu et le forgeron du village en a fait une chaîne. La statue a été transportée dans la chapelle, juste au-dessus du bénitier où elle rappellera à chacun les tragiques événements de ces derniers mois et la vanité des biens terrestres.

Dieu fasse que des abominations comme celles que nous avons vécues ne se reproduisent jamais. C'est pour cette raison que j'ai jeté la clef de l'armoire dans le puits. C'est pourquoi aussi, ce dimanche, notre curé a, devant tous les paroissiens réunis, fixé symboliquement la chaîne d'or au pied du grand squelette de pierre...

○

Le journal s'interrompait brusquement à cet endroit.

— Pourquoi t'arrêtes-tu? m'a questionné Viviane.

— Il n'y a plus rien. Le reste a été arraché.

Nous sommes restés silencieux. Sans même m'en apercevoir, j'ai pensé à voix haute:

— Et si sans le savoir j'avais commis une bêtise, une terrible bêtise? Si j'avais déchaîné des forces qui nous dépassent? Et si, en ouvrant cette maudite armoire, je... je L'avais libéré?

— Mais de qui parles-tu?

— De l'Ankou!

— Tu es fou! Tout ça n'est que pure coïncidence. Tu sais, grand-mère était très malade et Salaün était très vieux. Tu n'as pas à te culpabiliser. Et puis toutes ces histoires que tu viens de lire, c'est du passé. Un vieux ramassis de superstitions!

Cela m'a rassuré en partie, même si le timbre de sa voix avait quelque chose qui sonnait faux.

L'après-midi qui a suivi, nous avons décidé, après avoir fleuri la tombe de grand-mère, d'aller à la mer. Viviane connaissait un coin tranquille. Une petite crique trouée de grottes qui ne se découvraient qu'à marée basse. L'endroit servait de cimetière pour les bateaux. Échouées sur les galets, il y avait là plusieurs vieilles coques avec des moignons de mâts et des treuils rouillés.

Fatigués par notre nuit blanche, nous nous sommes étendus sur le pont de l'une d'elles et nous avons passé des heures sans rien dire, à fixer le ciel où les mouettes tournoyaient, ailes immobiles, en poussant des cris déchirants.

Remise à flots par la marée montante, la vieille carcasse sur laquelle nous étions allongés tanguait doucement et craquait de toutes ses membrures. Bercé par ce mouvement régulier, je flottais peu à peu aux frontières du rêve et de la réalité.

Oui, tout cela n'était qu'un rêve... juste un rêve.

Je rêvais que j'étais dans le lit-clos, couché avec Viviane et, dans mon rêve, il y avait un grondement sourd, comme la vibration d'un lourd camion qui passait devant la maison. Passait et repassait et repassait encore. Soudain ce va-et-vient sonore cessait et quelqu'un frappait à la porte.

Je criais à Viviane: « Non! Non! n'ouvre pas. Souviens-toi de ce qu'a dit le vieux Salaün!» Mais la porte s'ouvrait toute seule avec fracas et un homme entrait.

C'était le chauffeur de camion que j'avais aidé sur la route du Ménez-Hom. Il était d'une laideur hallucinante. Une vraie pourriture vivante flottant dans une veste de cuir souillée de sang et des jeans déchirés. Le camionneur ôtait sa casquette découvrant son crâne nu et ses orbites vides. Il voulait que je le suive. Je refusais. Nous nous empoignions et je me débattais en hurlant comme un enragé.

C'est ce hurlement qui m'a réveillé. J'étais moite de sueur et je n'étais plus couché sur le pont du bateau où je m'étais endormi. J'étais dans le lit-clos. La tête me tournait et j'avais les joues en feu. Viviane, penchée sur moi, m'épongeait le front.

— Yannick! Yannick! Reviens à toi! Qu'est-ce que tu as? Yannick... réponds-moi... Je t'en supplie!

Je délirais, paraît-il, depuis deux jours. Ça m'avait pris dans le cimetière de bateaux et, depuis que Viviane m'avait ramené de peine et de misère, je n'arrêtais pas de me débattre avec les mêmes fantômes et le même cauchemar.

6 UN MAL INDÉFINISSABLE

Les jours qui ont suivi sont encore plus confus dans ma mémoire.

Je me souviens qu'un épais brouillard était tombé sur Kervinou. Un brouillard si épais que même les phares des autos ne le perçaient pas. Un brouillard si épais qu'on ne savait plus si c'était la nuit ou le jour et qu'on se sentait complètement coupés du monde. Plus rien ne bougeait et, dans cette ouate impalpable, même les sons semblaient déformés: la cloche de la chapelle, le

107

mugissement de la corne de brume, au loin, du côté de Penmarch. Tous ces bruits devenaient d'obsédants appels et résonnaient comme des lamentations sinistres.

Mon état de santé ne s'améliorait pas. J'étais habité par un mal indéfinissable. Je ne souffrais pas et le médecin, appelé à mon chevet, ne m'avait rien trouvé.

J'étais dans une sorte d'état second, passant de l'hébétude la plus complète à un état de nervosité porté à son paroxysme, qui s'accompagnait de crises de peur panique indicible, me poussant à m'enfuir à travers les champs dans des courses éperdues. Ces crises se produisaient généralement quelques heures avant l'aube, à cette heure blafarde où le sommeil ressemble à la mort. Je me mettais alors à avoir des hallucinations en proie à des convulsions violentes et, sans Viviane qui me ramenait à la réalité en me caressant les cheveux ou en me baisant le visage, je me demande si ma raison n'aurait pas sombré totalement.

Mais il arrivait, hélas, que j'échappe à la vigilance de mon ange gardien. Alors, j'errais, à ce qu'on m'a raconté, pendant des heures, hagard, à demi nu et, chaque fois, je me réveillais dans un endroit insolite.

Une fois, ce fut au beau milieu du cimetière. Une autre fois sur la margelle du puits.

Une autre fois encore sur l'extrême bord de la falaise, près de la chapelle. Un pas de plus et j'étais mort.

J'ai d'ailleurs gardé un souvenir précis de cette circonstance particulière. Korrigan m'avait suivi et ce sont ses jappements qui m'ont tiré de mon somnambulisme suicidaire. Je me souviens aussi que, à cette minute, la première pensée qui a traversé mon esprit engourdi a été que, sans le chien, je serais allé me fracasser sur les rochers acérés, cinquante mètres plus bas. Mais ce qui m'a le plus intrigué, c'est autre chose. Quand j'ai repris connaissance, je me suis rendu compte que ce brave Korrigan n'avait pas exactement essayé de m'empêcher de me jeter dans le vide. Non, il se tenait derrière moi et ne semblait pas aboyer pour m'avertir du danger. Il semblait plutôt diriger ses rageux coups de gueule contre un agresseur invisible. Comme s'il barrait le chemin à quelqu'un… quelqu'un que lui seul voyait ou sentait.

Le plus grave de ces accès de démence passagère s'est produit quelques jours seulement avant mon retour prévu pour le Canada.

Une nouvelle fois, j'avais déliré une grande partie de la nuit et lorsque Viviane, épuisée, avait relâché sa vigilance, j'étais de nouveau sorti. Qu'avais-je fait pendant ces longues heures d'errance? Je suis bien incapable de le dire. Toujours est-il que lorsque je suis sorti de ma torpeur, j'étais au pied du calvaire avec son christ à moitié décloué, là où Salaün était venu me chercher le jour de mon arrivée au pays. Le brouillard m'enveloppait comme un linceul et je grelottais de froid.

J'ai levé la tête vers la statue mutilée qui émergeait de la brume comme une figure tragique de naufragé et je crois que je l'ai suppliée de m'aider. J'ai vu alors se former un double halo de lumière. Des phares. C'était un camion. Mais il est passé en trombe avant que j'aie pu lui faire signe. Alors, j'ai marché à tâtons comme un aveugle, m'égratignant les mains aux ronces des talus, glissant dans la boue. Les oreilles me bourdonnaient et j'avais des vertiges.

Une fois de plus, c'est Korrigan qui m'a retrouvé. Grâce à lui, je me suis traîné jusqu'à la maison. Korrigan trottait devant moi, les oreilles dressées et le nez au vent comme s'il sentait quelque présence ennemie. Régulièrement, il s'arrêtait, se mettait à courir et revenait ventre à terre, dans un incessant aller-retour ponctué d'aboiements secs. Il semblait vouloir me dire quelque chose...

C'est lui, bien sûr, qui est arrivé le premier à la ferme et, aussitôt, je l'ai entendu pousser un long hurlement modulé.

J'ai pressé le pas, agité par un mauvais pressentiment. J'avais raison. IL était là, LE CAMION DU MALHEUR!

Korrigan, en me voyant entrer dans la cour, s'est précipité sur moi. Dressé sur ses pattes arrière, il me griffait la poitrine tout en émettant des gémissements pitoyables. Il m'a accompagné jusqu'à la porte. Mais lorsqu'il a vu que je m'apprêtais à entrer, il a reculé, la queue basse, et s'est écrasé sur le sol...

À l'intérieur, je ne reconnaissais plus les lieux. J'avais l'impression de pénétrer dans un monde à la fois familier et déroutant, si bien que j'ai commencé à douter: dormais-je encore? Avais-je tous mes esprits?

Le brouillard semblait être entré dans la maison. Un brouillard étrange au travers duquel les objets étaient comme grossis à la loupe.

J'étais tout étourdi. Une douleur lancinante me broyait les tempes et battait au fond de mes yeux. En fait, tout ce que je percevais était métamorphosé comme sous l'effet d'une drogue puissante. L'air empestait la charogne. L'horloge martelait ses tic-tac avec une régularité de machine infernale. Quant à l'éclairage, on aurait dit que la pièce où dormait encore Viviane était devenue une crypte ténébreuse illuminée par de soudaines phosphorescences et de brusques embrasements comme on peut en voir parfois sur l'eau croupie des étangs.

Tout à coup, étrangement accélérée et amplifiée, j'ai entendu la respiration haletante de Viviane. Elle semblait chercher son souffle, un peu comme une nageuse qui, après avoir coulé à pic, remonte à la surface et avale une grande bouffée d'oxygène avant de replonger vers l'abîme.

Je me suis dirigé à l'aveuglette jusqu'au lit quand, tout à coup, j'ai senti tout près de moi un froissement d'air... J'aurais juré qu'il y avait quelqu'un dans la pièce! IL avait beau ne pas bouger, je savais qu'IL était là! IL avait beau être dérobé à mes regards, je savais qui IL était, silhouette noire fondue dans l'ombre.

Viviane respirait encore plus difficilement et, à mesure que le rythme de ses inspirations diminuait, les battements de l'horloge, eux aussi, semblaient ralentir.

Alors, d'un seul coup, j'ai tout compris... Viviane était en train de MOURIR. IL était là et comme IL ne m'avait pas trouvé, c'est à elle qu'IL s'en prenait.

Alors, j'ai crié comme un forcené:

— Épargne-la! Je sais que tu es là. Je sais qui tu es. Tu es l'Ankou et je sais ce que tu veux. Si tu l'épargnes, je te dirai où tu pourras faire de prodigieuses moissons d'âmes. Des tueries et des carnages, ce n'est pas ce qui manque dans notre monde.

Il y a eu une nouvelle fois un léger déplacement d'air accompagné d'un bruit semblable à un claquement de mâchoires.

Mort de peur, mais en même temps animé par une force irrésistible, j'ai tourné la tête de tous côtés, cherchant mon interlocuteur invisible.

— Je t'en conjure, je ferai tout ce que tu voudras. J'ai lu le journal de Loïc. Laisse les gens d'ici en paix, ils ont assez souffert. C'est moi le responsable. Emporte-moi. Non, je sais ce que tu veux. Je prendrai ta place. C'est ça! maintenant... demain... dans un an... quand tu voudras...

J'ai senti alors la Bête s'approcher. J'ai senti son haleine fétide sur mon visage. Je l'ai sentie tout contre moi. Je l'ai sentie me traverser, déversant dans mon cerveau un déluge d'images d'une horreur insoutenable. Je l'ai sentie sortir de moi et glisser dans mon dos... s'éloigner...

La porte d'entrée a alors claqué violemment et, dehors, j'ai entendu Korrigan couiner lamentablement, puis... un bruit de moteur diesel qu'on fait ronfler à fond, un grincement de boîte de vitesses qu'on manœuvre avec rudesse... Puis... un formidable coup de klaxon... et puis... plus rien.

Dans un ultime effort, je me suis approché du lit-clos. À présent, Viviane respirait mieux et sa peau déjà cyanosée reprenait peu à peu sa couleur normale. Elle était sauvée. C'était la seule chose qui comptait.

Après... je crois que j'ai perdu connaissance en m'écroulant sur le plancher. Je n'ai repris mes sens qu'au petit matin. Je me suis relevé péniblement. Mon corps était de plomb et lorsque Viviane est sortie à son tour des vapeurs mortelles de cette nuit affreuse, encore inquiet, je lui ai pris la main. Elle m'a repoussé en riant:

— Tu as les mains glacées!

Comme je ne réagissais pas, elle m'a pincé affectueusement le menton et, après m'avoir examiné, elle a ajouté:

— Et en plus mon vieux... tu as une vraie tête de déterré!

Le soleil brillait à travers la petite fenêtre. Viviane, les cuisses nues et les cheveux ébouriffés, coupait de larges tranches de pain, la miche serrée sur sa poitrine. Ça sentait bon le café frais. Korrigan, couché sous la table se grattait l'oreille. Tout semblait si merveilleusement normal!

Oh oui! Comme j'aurais tant voulu croire que toutes les expériences horrifiantes que j'avais vécues n'étaient qu'illusions et divagations produites par un esprit malade. Oui, comme j'aurais voulu être capable de me contenter de cette explication facile.

Mais, au moment même où j'allais me laisser séduire par cette idée rassurante, Viviane, qui m'apportait un bol de café chaud, a malheureusement laissé tomber cette phrase, qui m'a de nouveau plongé dans le doute et le tourment:

— Tu sais, j'ai fait un drôle de rêve. J'ai rêvé que je me noyais. Je n'arrivais plus à respirer. J'ai cru que j'allais mourir... Et puis tu arrivais...

○

Les vacances, maintenant, étaient pratiquement terminées. Je partais le surlendemain. Mes valises étaient déjà bouclées.

Je n'avais pas cru bon faire à Viviane le récit de mes dernières terreurs nocturnes ni lui parler du pacte que j'avais signé en songe ou en réalité avec l'ignoble créature qui continuait de hanter mes pensées. C'était mon secret et il le resterait jusqu'à...

jusqu'à ce que j'oublie cette nuit d'horreur ou, au contraire, jusqu'à ce que la Chose arrive et que je devienne... cette Chose. De plus, je ne voulais pas troubler Viviane inutilement et encore moins gâcher cette belle fin d'été.

Et puis, après tout, il n'était pas impossible qu'à des milliers de kilomètres de distance, l'ensemble de ces événements perde toute signification. Le Canada est si loin. Peut-être même que, là-bas, ne baignant plus dans ce climat de peur et de superstition, allais-je finir par ne plus penser à tout ça... Peut-être même serais-je le premier à en rire.

Le jour de mon départ est finalement arrivé. C'était un dimanche. Je devais prendre le train à Brest. Il faisait de nouveau un temps exécrable. Il pleuvait. Un petit crachin glacé venu de la mer avec d'imprévisibles bourrasques de vent qui retournaient les parapluies et forçaient les vieilles, en route pour l'église, à tenir leur coiffe et à plier le dos.

J'ai toujours détesté ces heures vides qui précèdent la séparation. Ce sont des heures mensongères où l'on regarde furtivement sa montre en feignant ne pas penser à l'échéance qui approche.

Viviane faisait tout ce qu'elle pouvait pour jouer le jeu. Elle affectait la bonne humeur. Mais elle était bien mauvaise comédienne. Ses yeux étaient trop brillants et il y avait dans sa voix un léger tremblement qui la trahissait.

Assis dans un coin, je passais mon temps à caresser distraitement Korrigan. Je «jonglais» comme on dit au Québec. Je fixais des images dans ma tête. J'emmagasinais des souvenirs. Je ne voulais rien oublier, même si déjà, sans que je ne puisse rien faire, un grand fossé de silence se creusait entre Viviane et moi. C'est elle d'ailleurs qui, ressentant le même malaise, m'a proposé une dernière promenade sur la plage.

Main dans la main, nous avons marché longuement sur la grève. Viviane ramassait des coquillages. Korrigan gambadait dans l'eau devant nous, s'ébrouant tous les vingt pas et s'amusant à faire peur aux mouettes.

Mais le temps passait impitoyablement. Il a fallu bientôt rentrer et, tout en marchant à pas lents dans les dunes, nous avons cueilli des brins de bruyère et des tiges de chardons argentés avec l'intention d'aller en déposer un bouquet sur la tombe de grand-mère.

Arrivés au cimetière, une surprise nous attendait. Devant la chapelle toute proche, il y avait un attroupement.

Viviane s'est informée de ce qui se passait auprès d'une connaissance, Katell, la crêpière.

— Je ne sais pas, a répondu celle-ci en soulevant son parapluie, à ce qu'on m'a dit il se serait passé un miracle.

Nous nous sommes faufilés dans la foule jusqu'au portail de la chapelle. La porte était ouverte, mais la plupart des curieux restaient à distance, comme saisis et en proie à une crainte révérencieuse.

J'ai pénétré le premier dans le sanctuaire. Il y régnait le calme habituel et la même lumière douce baignait les dalles usées de la nef. Pourtant, j'ai été saisi aussitôt d'un grand frisson.

J'ai levé les yeux. IL était là.

La statue de l'ANKOU de pierre était revenue sur son socle, exactement à la même place qu'au premier jour, dressée au-dessus du bénitier. Oui, le monstre se tenait là, dans toute sa lugubre majesté, dans toute sa triomphante et abominable monstruosité, avec sa gueule à demi ouverte, tordue par un rictus, avec sa tignasse blanche accrochée à l'os du crâne, avec son manteau en loques et sa faux menaçante.

IL était là, telle une sentinelle de retour à son poste. IL était là, plus effrayant que jamais et, l'espace d'une seconde, j'ai eu l'impression que ses yeux vides me regardaient et que, de toutes ses dents jaunes, IL me souriait.

Effaré, j'ai senti mon cœur s'arrêter.

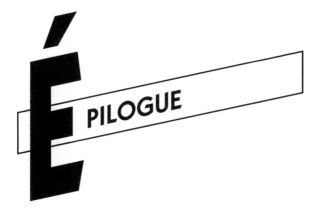

ÉPILOGUE

J'ai reçu, ce matin, une lettre de Viviane. Ce qu'elle m'écrit devrait en toute logique me rassurer. Mais, hélas, elle ne lève pas tout le voile sur le mystère.

Voici sa lettre:

Mon amour,
Je m'ennuie de toi. Korrigan aussi. Chaque jour, je guette le facteur, si bien que celui-ci me taquine. «Non rien du Canada aujourd'hui!» ou bien, en tenant la

121

lettre au bout de son bras levé pour me faire languir, il me chante: «Ah Ah! vous voyez, votre amoureux ne vous a pas oublié!»

J'ai repris mes cours au lycée. Mortels. Surtout ceux du prof de maths, un vieux bouc à barbichette qui pue des aisselles et se perd lui-même dans ses propres calculs au tableau. Cherchez l'erreur.

À propos, j'ai vendu l'armoire à un antiquaire qui m'en proposait un bon prix. Quant au mystère de la statue, il est éclairci. Les gendarmes ont arrêté un camionneur qui cambriolait les églises et les châteaux du coin. L'Ankou devait faire partie des pièces volées et quelqu'un de l'administration des monuments historiques ou des autorités départementales a dû le réinstaller dans la chapelle, sans prévenir personne. Tu connais les fonctionnaires...

Viendras-tu l'été prochain? Dis oui... Je t'en supplie. Et puis pense à ce pauvre Korrigan qui se languit lui aussi.

Je t'aime,

Viviane

P.S. Je t'ai envoyé l'article à propos des vols d'antiquités. Je l'ai découpé dans Ouest-France.

Démantèlement d'un réseau de trafiquants d'œuvres d'art

CHATEAULUN Hier vers 22 heures 30, au cours d'une simple vérification routière, les gendarmes du Faou ont procédé à l'arrestation d'un certain Jakez LeBraz, dont le camion était rempli à craquer d'œuvres d'art volées dans différentes chapelles et châteaux des départements du Finistère et des Côtes-du-Nord.

L'homme, âgé d'une quarantaine d'années, était à la tête d'un important réseau de malfaiteurs spécialisés dans le pillage des monuments historiques bretons. LeBraz est bien connu des milieux policiers et possède un lourd passé judiciaire.

Ce coup de filet inespéré est dû en grande partie au hasard. La semi-remorque des bandits roulait en effet sur l'autoroute E60 à une vitesse excessive tous phares éteints. La police de la route a donc intercepté le camion pour effectuer un contrôle d'identité. Mais devant l'attitude agressive du chauffeur qui était visiblement sous l'effet de l'alcool, les gendarmes ont décidé de fouiller le camion. C'est là qu'ils ont découvert le pot-aux-roses.

Le butin retrouvé par les forces de l'ordre comprend plusieurs statues, du mobilier ancien, des tableaux, un rétable sculpté et tout un lot d'objets sacrés provenant notamment de l'église de Sizun, de l'enclos paroissial de Pleyber Christ, du calvaire de Plougastel Daoulas et de la chapelle de Kervinou.

Plusieurs complices du dénommé LeBraz, dont un antiquaire parisien très connu, ont été arrêtés. Des experts des musées de Quimper et de Rennes feront l'inventaire des pièces saisies afin que celles-ci soient restituées à leurs légitimes propriétaires.

Viviane avait également ajouté en marge de l'article une note griffonnée au stylo bille: «Les journalistes ont oublié de dire qu'on n'a pas retrouvé la chaîne en or qui était fixée au pied de la statue de Kervinou.»

Oui, cette lettre et cet article auraient dû normalement dissiper tout à fait les crises d'anxiété qui, depuis quatre mois, transformaient chacune de mes nuits en descente aux enfers. Oui, cette lettre aurait dû lever mes derniers doutes et me rendre infiniment heureux.

Il n'en est rien. Au contraire plus le temps passe, plus je suis angoissé.

Au fond, il est possible que ce soient mes parents qui aient raison lorsqu'ils m'accusent de fabuler et de me complaire dans mon délire paranoïaque. Oui, il se peut que je sois en train de devenir cinglé et j'ai peut-être besoin d'un bon psychiatre.

Mais ce qu'ils ignorent tous autant qu'ils sont, ce que je ne peux pas leur dire, c'est que je détiens la preuve que tout ceci n'est pas un mauvais rêve! Ce qu'ils ne savent pas, c'est que voici à peu près dix jours, en fouillant au fond de mon sac à dos, j'ai trouvé quelque chose.

UNE CHAÎNE EN OR avec deux de ses maillons brisés! Or cette chaîne, je l'ai tout de suite reconnue. C'est la chaîne dont parlait Viviane dans sa lettre. La chaîne fondue avec l'or maudit des Anglais! La chaîne qui, symboliquement, emprisonnait l'ouvrier de la mort avant que je n'ouvre cette armoire de malheur! Or, qui a pu la glisser dans mes affaires? Qui? Et pour quelle raison, sinon pour me rappeler que la Bête est encore en liberté... et qu'elle est sans doute ici... tout près... attendant son heure, attendant que j'accomplisse ma fatale promesse.

○

La fin de l'année approche. Tout le monde autour de moi est excité par les préparatifs des Fêtes.

Pas moi.

Moi, j'attends. J'attends un signe qui m'annoncera la venue imminente de mon visiteur tant redouté.

Hier, un oiseau s'est jeté sur la vitre du salon et s'est tué. C'est peut-être ça le signe...

○

Ce soir, c'est la veille du jour de l'An. Maman a dressé une grande table et a allumé trois bougies[41]. Un autre signe. Je lui ai dit que je ne mangerai pas avec eux, que je préfère rester dans ma chambre parce que je ne me sens pas très bien.

○

En fait, j'ai décidé de partir. Mon baluchon est prêt. Je ne peux plus supporter de rester comme ça sans rien faire.

J'ai regardé ma montre. Il est minuit moins vingt. Depuis une bonne heure, je suis sur le bord de cette route déserte à attendre un bon samaritain qui voudra bien me prendre.

Quelques fêtards un peu éméchés ont bien ralenti pour me crier: «Bonne année, mon chum!» mais ils ne se sont pas arrêtés. Je songe à Viviane qui est si loin. Je pense aussi à mes parents qui vont se demander où je suis passé.

Pourquoi, Bon Dieu cette idée stupide de fuir la maison? Comme si cela pouvait changer quoi que ce soit...

Il neige. Le vent s'est levé et j'ai l'impression que la température a chuté brusquement. Je gèle des pieds à la tête. Je ne sens déjà plus mes mains. J'aurais dû m'habiller plus chaudement. L'air glacé me pique les poumons. Mes sourcils et ma bouche sont couverts de givre. J'ai sommeil et je sombre lentement dans une sorte d'engourdissement qui gagne peu à peu mon cerveau.

En fait, je n'ai même plus la force de faire signe aux véhicules qui passent. Un camion passe, puis un deuxième... et un autre encore. Dans la poudrerie, tout se confond et j'ai l'impression que c'est le même poids lourd qui passe et repasse.

J'ai perdu la notion du temps. Depuis quand suis-je au bord de cette route? Vingt minutes, une heure... deux heures...? je ne sais plus. Les images se brouillent dans ma tête.

Et puis, tout à coup, cette masse noire énorme. Ce souffle chaud et ce grondement sourd de moteur tournant au ralenti. Une grosse semi-remorque s'est arrêtée à ma hauteur. La portière s'ouvre.

— Monte!

Je m'exécute sans réféchir.

Il fait un froid presque aussi intense à l'intérieur du véhicule qu'au dehors et la vitre du pare-brise est couverte d'une épaisse croûte de givre.

— Le chauffage ne marche plus, dit le conducteur laconiquement.

J'ai beau me frictionner les bras et me pelotonner sur la banquette de cuir, je n'arrive pas à me réchauffer.

— Vous transportez quoi?

Le routier me répond sur un ton narquois:

— De la viande congelée.

Et il se met à rire...

Un rire qui me fait frissonner.

Dans l'obscurité de la cabine, à la faible lueur des voyants du tableau de bord, j'essaie de voir à quoi ressemble l'homme. Il porte une casquette à large visière qui lui dissimule les yeux. On ne voit que la pointe de son menton et son cou verdâtre d'une maigreur surprenante. Ses mains également sont bizarres. Des mains effilées et crochues dont les articulations craquent à chaque mouvement. Une crampe douloureuse me saisit l'estomac et je sens une sueur froide me couler au creux du dos.

Le camion ralentit et, bientôt, se range dans le stationnement d'une station d'essence abandonnée où la neige tourbillonne à plein ciel. Le chauffeur s'allume une cigarette, regarde l'horloge du tableau de bord puis, lentement se penche vers moi. Il est d'une laideur repoussante et son haleine est une vraie puanteur.

— Je suis mort de fatigue. Tu as ton permis mon gars?

Complètement affolé, je bégaie que oui, tout en protestant que je n'ai jamais conduit de camion.

L'homme ricane:

— Pas grave. Tu prends le volant... et *bloavezh mat*. (Bonne année)!

DANIEL

MATIVAT

Breton d'origine, mon enfance a été bercée par les légendes fantastiques de cette terre du bout du monde où, il y a quelques années encore, on croyait dur comme fer à l'existence des korrigans, du Cornu (le Diable), des sorciers au mauvais oeil, des Marie-Morgane (les sirènes) et surtout de l'Ankou, la Mort venant avec sa charrette ramasser les âmes des défunts. J'avais notamment une grand'tante, Marie-Jeanne Trellu du village de Quéménéven (Sud-Finistère), qui était une extraordinaire conteuse et avait l'art de délicieusement vous terrifier au moyen de ces histoires d'horreur.

C'est en pensant à elle que j'ai écrit ce livre qui emprunte également une partie de ses références folkloriques aux ouvrages d'Anatole Le braz et de Jakez Hélias, deux autres amoureux des anciennes traditions bretonnes et celtiques.

Souhaitons également que ce récit puisse donner au lecteur le goût de mieux connaître et de succomber au charme sauvage de la Bretagne qui n'est pas seulement, comme on pourrait le croire, le pays d'Astérix, des memhirs et des chapeaux ronds...

NOTES

1. Grand-mère.
2. Le pays bigouden est une région de Bretagne (Finistère sud) qui a conservé plusieurs de ses traditions. Les femmes jusqu'à récemment, y portaient une coiffe caractéristique très haute (32 cm) fixée par des épingles et des peignes sur un haut chignon et nouée au-dessous du menton par un ruban.
3. Veste à capuchon en drap de laine imperméable.
4. Oui et non.
5. En Bretagne, on plantait souvent, sur les toits de chaume, de la joubarbe, une plante à fleurs rouges qui avait la réputation de protéger contre la foudre.
6. Pendant la Révolution, la Bretagne, province catholique et royaliste, connut une sanglante guerre civile au cours de laquelle de nombreuses églises furent volontairement mutilées par les troupes révolutionnaires.
7. Mon Dieu!
8. En Bretagne on appelle «cousin» tous les membres du clan familial, même si le lien de parenté est très éloigné. D'où l'expression ironique des «cousins à la mode de Bretagne».
9. Sorcier, jeteur de sorts.
10. Surnom du diable.
11. Gâteau très riche à base de beurre.
12. Bonne nuit!
13. Pilleurs d'épaves, naufrageurs.
14. Le Finistère désigne l'extrême pointe ouest de la Bretagne, côte sauvage où, à proprement parler, «finit la terre».

15. Une superstition bretonne veut que, lorsque soudainement on frissonne sans raison, c'est que la mort vient de passer près de vous.

16. Granite à grain très fin utilisé pour la sculpture.

17. Bâton en forme de gourdin muni d'une poignée et d'une ganse de cuir. Parfois, il était percé d'un trou pour siffler. Il servait également de moyen de défense. Certains de ces bâtons, taillés dans du bois de houx, étaient sculptés d'un motif torsadé en forme de serpent.

18. Ces boules vendues au cours des pardons (processions religieuses associées à des lieux de pélerinage célèbres) étaient suspendues dans les maisons où elles protégeaient du mauvais sort.

19. Paysan insurgé contre les partisans de la République (les Bleus). Le nom de chouan, dérivé dialectal de chat-huant, rappelle le surnom d'un des chefs des insurgés qui avait comme cri de ralliement le cri de la chouette. La chouannerie, qui dura de 1793 à 1800, causa la mort de 80 000 paysans armés. De plus, en Vendée et en Bretagne autour de 500 000 personnes furent exécutées ou moururent de faim et de froid.

20. Culotte bouffante des anciens Bretons.

21. Joueur de biniou (sorte de cornemuse bretonne) et de bombarde, souvent invité dans les noces et les fêtes paysannes.

22. Pomme que l'on faisait mûrir dans un sac percé de petits trous qui dessinaient le nom de la jeune fille aimée, lequel s'inscrivait ainsi sur le fruit.

23. La tradition voulait que certains jours de l'année (surtout le 1er mai), on suspende des bouquets aux fenêtres des filles pour leur signifier ce qu'on pensait d'elles. Chaque plante utilisée avait un sens symbolique. Le genêt, le chou et l'aubépine

avaient une valeur injurieuse. Le chèvrefeuille voulait dire qu'on trouvait la demoiselle bien bonne, le bouleau, qu'on l'aimait, le thym, qu'on la considérait comme une putain.

24. Bien en chair.

25. La légende veut que chacune des racines du grand if planté au centre des cimetières bretons prenait naissance dans la bouche d'un des cadavres ensevelis sur place.

26. Travailleur agricole, pauvre paysan sans terre.

27. En Bretagne, on pensait que parfois l'anaon (l'âme des morts) s'échappait du corps sous la forme d'une souris. Lorsque quelqu'un mourait, par précaution, on mettait donc le chat dehors.

28. Grimoire célèbre écrit par le diable en personne. On pouvait y lire le destin des gens. Beaucoup de curés étaient réputés en posséder un. On prétendait que ce livre relié en peau humaine avait la taille d'un homme et qu'il était vivant. Il fallait donc le tenir enchaîné et il ne révélait ses secrets que si on le rouait de coups de bâton.

29. Phare à l'ouest de l'île de Sein, constamment battu par la mer déchaînée. Il fallut quatorze ans d'efforts titanesques pour l'achever, en 1881.

30. Taponner, peloter, harceler quelqu'un sexuellement.

31. Jadis, en Bretagne, une fille manifestait qu'elle aimait un garçon et qu'elle était prête à l'épouser en acceptant que celui-ci lui crache dans la bouche en l'embrassant.

32. À la mort de quelqu'un on voilait les miroirs, on vidait les plats d'eau et on chassait les animaux de la maison de crainte que l'âme libérée ne s'attarde trop en voyant son image, ne se noie dans un

récipient ou ne se fasse manger par une des bêtes du logis.

33. Le linceul devait être cousu sans nœud pour que le défunt puisse s'en extraire aisément au moment du Jugement dernier.

34. Alcool de fabrication domestique plus ou moins frelaté.

35. Chiffonnier errant. Il avait la réputation d'être malpropre et voleur. Il payait souvent en offrant de la vaisselle décorative.

36. Nom que les Bretons donnent souvent à leur curé.

37. Expressions populaires signifiant qu'on sent venir sa mort.

38. Amulettes, talismans faits d'un petit sac de toile neuve fermé par un fil de lin et contenant un sou, neuf grains de sel et neuf feuilles de plantes protectrices ou à défaut neuf feuilles de verveine.

39. Un Breton n'ôtait son chapeau que dans des circonstances exceptionnelles.

40. Traduction de menhir (men = pierre, hir = haute). Beaucoup de menhirs furent christianisés par adjonction d'une croix ou furent abattus et enterrés sous prétexte qu'ils encourageaient la pratique d'anciens rites païens. De fait, il y a un siècle, les menhirs étaient encore liés à la sexualité. Les filles en mal de fiancés ou les femmes stériles venaient la nuit se frotter dessus.

41. C'est le nom que les Bretons donnent aux sirènes.

42. Traditionnellement en Bretagne, allumer en même temps trois bougies ou trois lumières porte malheur.